D1646846

Mon Guide de Santé Naturelle

LA BIBLE DE LA SANTE

Dépôt légal:
Bibliothèque Nationale du Canada
Bibliothèque Nationale du Québec
2e trimestre 1984

DOCTEUR
JEAN-MARC BRUNET
NATUROPATHE

Avertissement

Ce guide de santé ne doit pas être utilisé et compris comme étant un outil pour le traitement des maladies, lequel relève essentiellement de l'activité et de la compétence d'un praticien. Les objectifs de cet ouvrage sont les suivants : aider à la correction des mauvaises habitudes de vie et, par la supplémentation et autres méthodes naturelles de santé, offrir aux individus des moyens de protéger leur organisme et de préserver leur santé.

Les lecteurs souffrant de maladies quelconques, ont intérêt à consulter leur praticien.

Introduction

Le présent ouvrage offre aux citoyens les bienfaits du naturisme. Il met de l'avant l'idée d'une meilleure nutrition, condition essentielle à l'obtention d'une bonne santé. En effet, selon le naturisme, la santé découle principalement de la qualité du mode de vie des individus. Les gens qui respectent les facteurs naturels de santé, mettent de leur côté toutes les chances de jouir d'une bonne santé. Ils plongent pour ainsi dire leur organisme dans les meilleures conditions possibles de guérison et de prévention de la maladie.

L'approche naturiste, face à la maladie, est bien différente de l'approche médicale conventionnelle. Le naturisme n'est pas un système de traitement des maladies. Il ne vise pas à faire disparaître tel ou tel symptôme par l'administration d'une substance médicamenteuse quelconque. Il cherche plutôt à redonner à l'organisme les éléments naturels qui lui manquent pour surmonter ses difficultés. Nous croyons, en effet, que tout organisme vivant est auto-guérisseur. Nous recherchons alors les moyens favorables au déclenchement de ce phénomène naturel qu'est la guérison.

Le naturisme n'est pas pour autant incompatible avec la médecine conventionnelle. Il peut fort bien s'appliquer de façon complémentaire à cette dernière, même si dans bien des cas, il peut être suffisant pour médecine conventionnelle. Cette dernière demeure toujours utile dans un certain nombre de cas et le naturisme peut contribuer à son succès.

Le présent Guide de Santé ne vise pas à éliminer le recours à la médecine conventionnelle. Il expose l'approche naturiste en matière de santé, principalement au niveau de la supplémentation. Sauf avis contraire d'un praticien spécialisé et compétent, il est compatible avec tout traitement médical puisqu'il vise essentiellement à tonifier l'organisme en comblant notamment les carences alimentaires et en suggérant de meilleures habitudes de vie. Comme son nom l'indique, c'est véritablement un guide de santé, utile en toutes circonstances. Pour les gens malades, comme pour les gens bien-portants, il est toujours souhaitable d'être bien nourri et de corriger toute mauvaise habitude de vie.

Les judicieux conseils de santé prodigués dans le présent guide sont compatibles avec l'ensemble des traitements médicaux. Que l'on choisisse de consulter un médecin, un chiropraticien, un naturopathe, un homéopathe, un ostéopathe, un accupuncteur, etc., l'application des conseils contenus dans ce guide accentuera l'efficacité de leurs thérapies.

Qu'il soit bien compris que le présent Guide de santé n'est pas un document de thérapeutique. Il n'a pas été conçu pour être utilisé dans le traitement des maladies. Un tel traitement relève uniquement de l'activité d'un praticien de santé. Le rôle de ce guide est essentiellement d'ordre nutritionnel et éducatif. Il a pour but d'indiquer au lecteur la supplémentation alimentaire, de même que les bonnes habitudes qui peuvent contribuer au retour et au maintien de la santé.

PREMIER
CHAPITRE

CONSEILS NATURISTES ET SUPPLÉMENTATION SUGGÉRÉS, EN FONCTION DES SYMPTÔMES D'INTOXICATION OU DE CARENCE DE VOTRE ORGANISME.

Remarques préliminaires:

Tous les conseils de santé qui suivent doivent être appliqués **durant au moins trois mois** pour permettre à l'organisme d'en tirer le maximum de profit. Il faut se rappeler que ces conseils ont pour but d'une part de corriger les mauvaises habitudes de vie et, d'autre part, de combler les carences nutritionnelles de l'organisme. Ces deux conditions essentielles à la santé ne sauraient se réaliser en quelques jours seulement.

Les aliments, vitamines, suppléments alimentaires, tisanes, extraits liquides ou comprimés de plantes, et tous autres produits suggérés dans MON GUIDE DE SANTÉ NATURELLE, **doivent être ceux qui sont vendus sous étiquette portant ma signature ou ceux qui ont reçu mon approbation.** En effet, les posologies suggérées correspondent à des produits spécifiques et les résultats pourraient être complètement faussés si l'on utilisait des produits dont la composition ne respecte pas les mêmes proportions.

Acidité stomacale

Suggestions:

1) Mastiquer 20 à 30 fois chaque bouchée, lentement
2) Éviter les aliments acidifiants (voir liste en page 139)
3) Attention au tabagisme
4) Lire «La santé par les jus»

Supplémentation:

Lactate de calcium
2 comprimés avant les repas

Comprimés de luzerne:
1 comprimé avec le repas

Ensemble des plantes suivantes: mélisse, mauve, bourdaine, cascara, épine-vinette, guimauve, menthe:
1 comprimé après les repas

Tisane comprenant les plantes suivantes: bourdaine, boldo, prêle, chiendent, queues de cerise, reine-des-prés, réglisse, verveine, aigremoine, baies de genévrier, frêne, cassis, hysope:
1 tasse après chaque repas.

Acné

Suggestions:

1) Masque d'argile (2 fois par semaine)

2) Bain chaud le soir

3) Supprimer les sucres et les aliments acides ou acidifiants (voir p. 139)

4) Lire «Guérir votre foie»

Supplémentation:

Extrait de radis noir et artichaut:
1 ampoule le matin 15 minutes avant le déjeuner dans un jus de raisin

Ensemble des plantes suivantes: ménianthe, grand millet, gingembre, chicorée sauvage, aigremoine, aunée, persil, réglisse:
1 comprimé après les repas

Supplément de calcium et de magnésium à base de poudre d'os, de dolomite, de prêle et de luzerne:
1 comprimé avant les repas

Levure Torula:
2 comprimés avec le repas

Tisane comprenant les plantes suivantes: bourdaine, angélique réglisse, boldo, verveine, reine-des-prés, aigremoine:
1 tasse après chaque repas

crème pour la peau à base de soufre et de vitamines du complexe B

Lotion pour la peau à base de vitamines du complexe B.

Alcoolisme

Suggestions:

1) Se renseigner sur les Alcooliques Anonymes (voir les pages jaunes dans l'annuaire téléphonique)
2) Lire «L'alcool et la nutrition» et «Guérir votre foie»

Supplémentation:

Tonique stimulant de la vésicule biliaire contenant de l'artichaut, du boldo, du pissenlit:
40 gouttes le matin au lever

Supplément de calcium et de magnésium provenant de la dolomite:
1 comprimé avant les repas

Tisane comprenant les plantes suivantes: bourdaine, boldo, prêle, chiendent, queues de cerise, reine-des-prés, réglisse, verveine, aigremoine, baies de genévrier, frêne, cassis, hysope:
1 tasse après les repas

Vitamines du complexe B de source naturelle provenant de la levure, du foie déshydraté, du pollen de fleur et de l'huile de germe de blé:
2 comprimés avec le repas

Supplément de protéine avec enzymes digestifs:
3 comprimés avec les repas.

Allergies

Suggestions:

1) Bain chaud le soir

2) Supprimer les sucres et les produits laitiers; réduire les farineux.

3) Lire «Guérir votre foie»

Supplémentation:

Extrait de radis noir et artichaut:
1 ampoule le matin 15 minutes avant le déjeuner dans un jus de raisin

Tonique à base des plantes dépuratives suivantes: épine-vinette, chiendent, busserole, bruyère, bardane, bourrache, sureau, cascara-sagrada, gentiane, prêle, sauge, ulmaire:
1 c. à thé avant chaque repas

Supplément de magnésium liquide:
1 c. à thé le matin et le soir dans un jus

Vitamine C 300 mg avec bioflavonoïdes:
1 comprimé après chaque repas

Tisane comprenant les plantes suivantes: bourdaine, boldo, prêle, racine de chiendent, queues de cerise, reine-des-prés, réglisse, verveine, aigremoine, baies de genévrier, frêne, cassis, hysope:
1 tasse après chaque repas.

Amygdalite

Suggestions:

1) Bain chaud

2) Supprimer les sucres

3) Se gargariser avec 1 c. à thé de magnésium en liquide dilué dans de l'eau

4) Lire «Guérir votre foie»

Supplémentation:

Extrait de radis noir et artichaut:
1 ampoule le matin 15 minutes avant le déjeuner dans un jus de raisin

Ensemble des plantes suivantes: ménianthe, grand millet, gingembre, réglisse, persil, aunée, aigremoine, chicorée sauvage:
1 comprimé après chaque repas

Huile d'ail:
1 capsule avec le repas

Magnésium en liquide:
1 c. à thé le matin au lever et le soir au coucher dans du jus

Vitamine C 300 mg avec bioflavonoïdes:
1 comprimé aux trois heures

Tisane comprenant les plantes suivantes: bourdaine, angélique, réglisse, boldo, verveine, reine-des-prés, aigremoine:
1 tasse après chaque repas.

Anémie

Suggestions:

1) Sieste de ½ heure après chaque repas
2) Bouillotte d'eau chaude sur le foie
3) Repos
4) Sommeil de 10 heures par jour
5) Lire "Guérir votre foie"

Supplémentation:

Ensemble des plantes suivantes: mélisse, mauve, bourdaine, cascara, épine-vinette, guimauve, huile de menthe: 1 comprimé après les repas.

Gelée royale 200 mg:
1 ampoule le matin dans un jus, durant un mois

Continuer ensuite à l'aide d'un tonique revitalisant à base de levure, de ginseng, de fénugrec, d'algues marines, de thym, et de romarin:
1 c. à thé avant les repas

Tisane comprenant les plantes suivantes: bourdaine, boldo, prêle, racine de chiendent, queues de cerise, reine-des-prés, réglisse, verveine, aigremoine, baies de genévrier, frêne, cassis, hysope:
1 tasse après chaque repas

Vitamines du complexe B de source naturelle provenant de la levure, du foie déshydraté, du pollen de fleur et de l'huile de germe de blé:
2 comprimés avec le repas

Multivitamine et minéraux:
1 capsule le soir au coucher.

Angine de poitrine

Suggestions:

1) Éviter les fritures et le gras animal

2) Respirations profondes

3) Marche tous les jours

4) Sommeil 10 heures par jour

5) Lire «Le coeur et l'alimentation»

Supplémentation:

Extrait de radis noir et artichaut:
1 ampoule le matin 15 minutes avant le déjeuner dans un jus de raisin

Ensemble des plantes suivantes: ménianthe, grand millet, gingembre, réglisse, persil, aunée, aigremoine, chicorée sauvage:
1 comprimé après les repas

Lécithine:
1 capsule après chaque repas

Tisane comprenant les plantes suivantes: bourdaine, angélique, réglisse, boldo, verveine, reine-des-prés, aigremoine:
1 tasse après chaque repas et au coucher

Vitamine E (200 U.I.):
1 capsule avec le repas et au coucher

Vitamines du complexe B de source naturelle provenant de la levure, du foie déshydraté, du pollen de fleur et de l'huile de germe de blé:
2 comprimés avant chaque repas.

Artériosclérose

Suggestions:

1) Éviter le gras animal

2) Supprimer les fritures

3) Attention à l'alcool et au tabagisme

4) Marche quotidienne

5) Lire «Le coeur et l'alimentation»

Supplémentation:

Extrait de radis noir et artichaut:
1 ampoule le matin 15 minutes avant le déjeuner dans un jus de raisin

Ensemble des plantes suivantes: mélisse, mauve, bourdaine, cascara, épine-vinette, guimauve, huile de menthe:
1 comprimé après chaque repas

Vitamine C 300 mg avec bioflavonoïdes:
1 comprimé après les repas

Tisane comprenant les plantes suivantes: bourdaine, boldo, prêle, chiendent, queues de cerises, reine-des-prés, réglisse, verveine, aigremoine, genévrier, cassis, hysope:
1 tasse après chaque repas et au coucher

Ail:
1 capsule après les repas

Lécithine 1200 mg:
1 capsule avant les repas.

Arthrite

Suggestions:

1) 3 repas de viandes par semaine

2) Attention aux sucreries

3) Bain chaud le soir

4) Lire page 139

Supplémentation:

Extrait de radis noir et artichaut:
1 ampoule le matin 15 minutes avant le déjeuner dans un jus de raisin

Aubier de tilleul sauvage:
Boire 1 pinte d'eau d'aubier par jour

Lactate de calcium:
2 comprimés avant chaque repas

Magnésium en liquide:
1 c. à thé le matin au lever dans du jus

Ensemble des plantes suivantes: persil, pyrole ombellée, busserole, carotte sauvage, chiendent, pariétaire, buchu, guimauve, cascara:
1 comprimé après chaque repas

Tisane comprenant les plantes suivantes: frêne, gui, cassis, reine-des-prés, géranium Robert, pissenlit, verveine, millefeuille, consoude, hysope:
1 tasse après chaque repas.

Asthme

Suggestions:

1) Supprimer les sucres et les produits laitiers; réduire les farineux

2) Bain chaud le soir

3) Marche quotidienne

4) Attention au tabagisme

5) Lire «Guérir votre foie»

Supplémentation:

Extrait de radis noir et artichaut:
1 ampoule le matin 15 minutes avant le déjeuner dans du jus de raisin

Ensemble des plantes suivantes: mélisse, mauve, bourdaine, cascara, épine-vinette, guimauve, huile de menthe:
1 comprimé après chaque repas

Magnésium en liquide:
1 c. à thé le matin et le soir

Tisane comprenant les plantes suivantes: bourrache herbe, thym, bouillon blanc, lierre terrestre, racine d'aunée, capillaire, violette:
1 tasse entre les repas et au coucher

Tonique à base de plantes pour le système respiratoire: pin blanc, cerisier sauvage, peuplier, nard américain:
1 c. à thé aux trois heures ou au besoin

Ail:
1 capsule avant le repas

Tisane comprenant les plantes suivantes: bourdaine, boldo, prêle, chiendent, queues de cerise, reine-des-prés, réglisse, verveine, aigremoine, genévrier, frêne, cassis, hysope:
1 tasse après chaque repas.

Bronchite

Suggestions:

1) Supprimer les sucres et les produits laitiers; réduire les farineux

2) Attention au tabagisme

3) Bain chaud le soir

4) Lire «Guérir votre foie»

Supplémentation:

Extrait de radis noir et artichaut:
1 ampoule le matin 15 minutes avant le déjeuner dans un jus de raisin

Ensemble des plantes suivantes: ménianthe, grand millet, gingembre, réglisse, persil, aunée, aigremoine, chicorée sauvage:
1 comprimé après chaque repas

Ail:
1 capsule à chaque repas

Tisane comprenant les plantes suivantes: bourrache herbe, thym, bouillon blanc, lierre terrestre, racine d'aunée, capillaire, violette:
1 tasse entre les repas et au coucher

Vitamine C 300 mg avec bioflavonoïdes:
1 comprimé après les repas

Tisane comprenant les plantes suivantes: bourdaine, angélique, réglisse, boldo, verveine, reine-des-prés, aigremoine:
1 tasse après les repas

Tonique à base de plantes pour le système respiratoire: pin blanc, cerisier sauvage, peuplier, nard américain:
1 c. à thé aux trois heures ou au besoin.

Brûlures d'estomac

Suggestions :

1) Éviter les aliments acidifiants
   (voir page 139)

2) Mastiquer 20 à 30 fois chaque bouchée, lentement

3) Apprenez à relaxer

4) Attention au tabagisme

5) Lire «Guérir votre foie»

Supplémentation :

Extrait de radis noir et artichaut :
1 ampoule le matin 15 minutes avant le déjeuner dans un jus de raisin

Poudre antiacide naturiste :
1 c. à soupe dans un liquide à chaque fois que la sensation de brûlure se manifeste

Ensemble des plantes suivantes : mélisse, mauve, bourdaine, cascara, épine-vinette, guimauve, menthe :
1 comprimé après chaque repas

Tisane comprenant les plantes suivantes : bourdaine, boldo, prêle, chiendent, queues de cerise, reine-des-prés, réglisse, verveine, aigremoine, genévrier, frêne, cassis, hysope :
1 tasse après les repas

Lactate de calcium :
2 comprimés avant les repas

Luzerne :
2 comprimés à chaque repas.

ursite

Suggestions:

1) Éviter les aliments acidifiants (voir page 139)

2) Attention aux sucreries

3) Bain chaud le soir au coucher

4) Lire «Guérir votre foie»

Supplémentation:

Extrait de radis noir et artichaut:
1 ampoule le matin 15 minutes avant le déjeuner dans un jus de raisin

Aubier de tilleul sauvage:
4 tasses par jour

Comprimés de calcium et de magnésium provenant de la poudre d'os et de la dolomite, accompagnés de prêle et de luzerne:
1 comprimé avant chaque repas

Lactate de calcium:
2 comprimés avant les repas

Magnésium en liquide:
1 c. à thé le matin au lever dans du jus.

Calculs biliaires

Suggestions:

1) Éviter les gras animaux

2) Couper les sucreries

3) Usage modéré de produits laitiers

4) Consommer beaucoup de fruits et de légumes frais
5) Lire «Guérir votre foie»

Supplémentation:

Aubier de tilleul sauvage:
4 tasses par jour

Lécithine 1200 mg:
1 capsule après chaque repas

Tonique stimulant de la vésicule biliaire: boldo, arti-chaut, pissenlit:
20 gouttes le matin et 20 gouttes le soir

Tisane comprenant les plantes suivantes: bourdaine, angélique, réglisse, boldo, verveine, reine-des-prés, aigremoine:
1 tasse après chaque repas.

Carie dentaire

Suggestions:

1) Attention aux sucreries

2) Éviter les aliments acidifiants
   (voir page 139)

3) Se brosser les dents après chaque repas et au coucher avec une pâte dentifrice naturiste.

Supplémentation:

Comprimés de calcium et de magnésium provenant de la poudre d'os et de la dolomite, accompagnés de prêle et de luzerne:
1 comprimé avant chaque repas

Magnésium en liquide:
1 c. à thé le matin et le soir

Dolomite:
1 comprimé avec le repas

Tisane comprenant les plantes suivantes: bourdaine, boldo, prêle, chiendent, queues de cerise, reine-des-prés, réglisse, verveine, aigremoine, genévrier, frêne, cassis, hysope:
1 tasse après les repas.

Cataracte

Suggestions:

1) Boire du jus de carotte frais 2 à 3 fois par jour
2) Attention aux aliments acidifiants
   (voir p. 139)
3) Éviter le tabagisme
4) Lire «Guérir votre foie»

Supplémentation:

Extrait de radis noir et artichaut:
1 ampoule le matin 15 minutes avant le déjeuner dans un jus de raisin

Tonique dépuratif à base des plantes suivantes: épine-vinette, chiendent, busserole, bruyère, bardane, bourrache, sureau, cascara-sagrada, gentiane, prêle, sauge, ulmaire:
1 à 2 c. à thé avant les repas

Vitamine E 100 U.I.:
1 capsule avant chaque repas

Vitamine A 10,000 U.I.:
1 capsule par jour

Tisane comprenant les plantes suivantes: bourdaine, boldo, prêle, chiendent, queues de cerise, reine-des-prés, réglisse, verveine, aigremoine, genévrier, frêne, cassis et hysope:
1 tasse après chaque repas.

Cellulite

Suggestions:

1) Attention au sel

2) Éliminer les aliments acidifiants
   (voir page 139)

3) Attention aux sucreries

4) Lire «Guérir votre foie»

Supplémentation:

Extrait de radis noir et artichaut:
1 ampoule le matin 15 minutes avant le déjeuner dans un jus de raisin

Tonique dépuratif à base des plantes suivantes: épine-vinette, chiendent, busserole, bruyère, bardane, bourrache, sureau, cascara-sagrada, gentiane, prêle, sauge, ulmaire:
1 à 2 c. à thé avant les repas

Magnésium en liquide:
1 c. à thé le matin au lever

Vitamine C 300 mg avec bioflavonoïdes:
1 comprimé après les repas

Tisane comprenant les plantes suivantes: prêle, chiendent, frêne, queues de cerise, cassis, serpolet, genévrier, hysope, sureau:
1 tasse après les repas

Applications locales:

1) Massage avec crème aux algues et gant de crin

2) Exercices physiques appropriés.

Cheveux gras

Suggestions :

1) Utiliser un shampooing naturiste au soufre

2) Utiliser un rince-crème naturiste revitalisant

3) Éviter le gras animal et les fritures

4) Éviter les fromages gras et la crème

5) Manger plus de fruits et de légumes frais

6) Lire «Guérir votre foie»

Supplémentation :

Extrait de radis noir et artichaut :
1 ampoule le matin 15 minutes avant le déjeuner dans un jus de raisin

Vitamine B complexe de source naturelle provenant de la levure, du foie déshydraté, du pollen de fleur et de l'huile de germe de blé :
2 comprimés après les repas

Tonique stimulant de la vésicule biliaire à base de boldo, d'artichaut, de pissenlit ;
40 gouttes le matin

Tisane comprenant les plantes suivantes : bourdaine, angélique, réglisse, boldo, verveine, reine-des-prés, aigremoine :
1 tasse après les repas

Levure Torula :
3 comprimés après les repas

Calcium et magnésium provenant de la poudre d'os et de la dolomite, accompagnés de prêle et de luzerne :
1 comprimé avant les repas.

Cheveux secs

Suggestions:

1) Utiliser un shampoing naturiste vitaminé

2) Utiliser un rince-crème naturiste revitalisant

3) Brosser régulièrement les cheveux

4) Masser le cuir chevelu

5) Supprimer l'alcool et le tabac

6) Lire «Guérir votre foie»

Supplémentation:

Extrait de radis noir et artichaut:
1 ampoule le matin 15 minutes avant le déjeuner dans un jus de raisin

Huile de germe de blé:
2 capsules après les repas

Lécithine - 1200 mg:
1 capsule après le repas du midi et le repas du soir

Tisane comprenant les plantes suivantes: bourdaine, angélique, réglisse, boldo, verveine, reine-des-prés, aigremoine:
1 tasse après les repas

Vitamine A - 10,000 U.I.:
1 capsule à jeûn le matin

Huile de safran:
2 capsules après les repas.

Cholestérol (hypercholestérolémie)

Suggestions:

1) Éviter les fritures et les gras animaux

2) Éviter les sucreries

3) Supprimer l'alcool

4) Lire «La vitamine E et votre santé» et «Guérir votre foie»

Supplémentation:

Extrait de radis noir et artichaut:
1 ampoule le matin 15 minutes avant le déjeuner dans un jus de raisin

Lécithine 1200 mg:
1 capsule avec le repas

Vitamine E 200 U.I.:
1 capsule après les repas

Ensemble des plantes suivantes: mélisse, mauve, bourdaine, épine-vinette, guimauve, cascara, huile de menthe:
1 comprimé après les repas

Tisane comprenant les plantes suivantes: bourdaine, angélique, réglisse, boldo, verveine, reine-des-prés, aigremoine:
1 tasse après chaque repas.

Circulation

Suggestions:

1) Réduire les farineux (pain, brioches, céréales)

2) Marche quotidienne (30 minutes)

3) Bain chaud le soir

4) Réduire les produits laitiers

5) Aucune friture

6) Lire «Guérir votre foie»

Supplémentation:

Extrait de radis noir et artichaut:
1 ampoule le matin 15 minutes avant le déjeuner dans un jus de raisin

Ensemble des plantes suivantes: mélisse, mauve, bourdaine, épine-vinette, guimauve, cascara, huile de menthe:
1 comprimé après chaque repas et 2 au coucher

Vitamine B complexe de source naturelle provenant de la levure, du foie déshydraté, du pollen de fleur et de l'huile de germe de blé:
2 comprimés après chaque repas

Vitamine E 200 U.I.:
1 capsule après chaque repas et au coucher

Magnésium en liquide:
1 c. à thé matin et soir dans un demi verre d'eau

Tisane comprenant les plantes suivantes: bourdaine, boldo, prêle, chiendent, queues de cerise, reine-des-prés, réglisse, verveine, aigremoine, genévrier, frêne, cassis, hysope:
1 tasse après les repas.

Cirrhose du foie

Suggestions:

1) S'abstenir définitivement de toute boisson alcoolisée
2) Éviter le tabagisme
3) Éviter le gras animal et les fritures
4) Éviter la suralimentation
5) Éviter les aliments chimifiés
6) Lire «Guérir votre foie»

Supplémentation:

Vitamine B complexe de source naturelle provenant de la levure, du foie déshydraté, du pollen de fleur et de l'huile de germe de blé:
2 comprimés après les repas

Vitamine C 300 mg avec bioflavonoïdes:
1 comprimé avant les repas et un autre en soirée

Vitamine A - 10,000 U.I.:
2 capsules à jeûn le matin

Tisane comprenant les plantes suivantes: bourdaine, boldo, prêle, chiendent, queues de cerise, reine-des-prés, réglisse, verveine, aigremoine, genévrier, frêne, cassis, hysope:
1 tasse après les repas.
Ensemble des plantes suivantes: mélisse, mauve, bourdaine, cascara, épine-vinette, guimauve, menthe:
1 comprimé après les repas.

Colite

Suggestions:

1) Éviter la constipation
2) Éviter les aliments irritants (poivre, moutarde, épices fortes, etc.)
3) Mastiquer lentement vos aliments: 30 fois par bouchée
4) Éviter la suralimentation
5) Éviter les médicaments irritants pour l'intestin (l'aspirine par exemple)
6) Lire «Guérir votre foie»

Supplémentation:

Magnésium en liquide:
1 c. à thé dans un peu d'eau le matin

Chlorophylle:
2 comprimés après les repas

Cultures de yogourt:
1 capsule après les repas

Calcium et magnésium provenant de la poudre d'os et de la dolomite, accompagnés de prêle et de luzerne:
3 comprimés après les repas

Tisane comprenant les plantes suivantes: bourdaine, boldo, prêle, chiendent, queues de cerise, reine-des-prés, réglisse, verveine, aigremoine, genévrier, frêne, cassis, hysope:
1 tasse après les repas.

Conjonctivite

Suggestions:

1) Éviter les atmosphères enfumées

2) Éviter les poussières irritantes

3) Éviter le vent (notamment en voiture)

4) Fermer les yeux durant cinq minutes trois fois par jour

5) Éviter les aliments acidifiants (voir page 139)

6) Lire «Guérir votre foie»

Supplémentation:

Lactate de calcium:
2 comprimés avant les repas

Vitamine C-300 mg avec bioflavonoïdes:
1 comprimé par repas

Calcium et magnésium provenant de la poudre d'os et de la dolomite, accompagnés de prêle et de luzerne:
2 comprimés avant chaque repas

Masque à l'argile en application sur les paupières à tous les jours.

Constipation

Suggestions:

1) Bien mastiquer: 30 fois par bouchée, lentement
2) Exercices physiques
3) Lire «L'exercice physique pour tous»
4) Boire des jus de fruits et de légumes frais tous les jours
5) Ajouter du son de blé à votre alimentation (céréales)
6) Manger beaucoup de fruits et de légumes frais
7) Lire «Guérir votre foie»

Supplémentation:

Tonique stimulant de la vésicule biliaire à base de boldo, d'artichaut, de pissenlit:
40 gouttes le matin au lever dans du jus

Comprimés laxatifs à base de plantes:
1 ou 2 comprimés le soir au coucher selon le besoin

Suppositoire contre la constipation (si nécessaire):
Tel qu'indiqué

Cultures de yogourt:
1 comprimé après chaque repas

Tonique dépuratif à base des plantes suivantes: épinevinette, chiendent, busserole, bruyère, bardane, bourrache, sureau, cascara-sagrada, gentiane, prêle, sauge, ulmaire:
1 c. à thé avant chaque repas

Ou tisane comprenant les plantes suivantes: bourdaine, guimauve, chiendent, mercuriale, réglisse, pensée sauvage, anis, mauve, maïs, queues de cerise, busserole, verveine, épine-vinette, saponaire, sureau:
1 tasse le soir au coucher

Vitamine B complexe de source naturelle à base de levure, de foie déshydraté, de pollen et d'huile de germe de blé:
2 comprimés après les repas.

Cor au pied

- Voir «Verrue»

Crampes

Suggestions:

1) Bain chaud

2) Marche quotidienne

3) Attention aux féculents

4) Lire «La vitamine E et votre santé» et «Guérir votre foie»

Supplémentation:

Vitamine E 200 U.I.:
1 capsule avec le repas

Tisane comprenant les plantes suivantes: prêle, chiendent, frêne, queues de cerise, cassis, serpolet, genévrier, hysope, sureau:
1 tasse après les repas

Ensemble des plantes suivantes: ménianthe, grand millet, gingembre, réglisse, persil, aunée, aigremoine, chicorée sauvage:
1 comprimé après chaque repas

Poudre d'os, dolomite, prêle, luzerne:
2 comprimés avant les repas.

Désintoxication

Suggestions:

1) Supprimer fritures et gras animal
2) Supprimer les sucreries et les aliments acidifiants (voir page 139)
3) Manger beaucoup de fruits et de légumes frais; boire des jus
4) Exercices tous les jours ou au moins une marche au grand air
5) Lire «La santé par les jus» et «Guérir votre foie»

Supplémentation:

Tonique dépuratif à base des plantes suivantes: épine-vinette, chiendent, busserole, bruyère, bardane, bourrache, sureau, cascara-sagrada, gentiane, prêle, sauge, ulmaire:

1 à 2 c. à thé avant les repas

Extrait de radis noir et artichaut:

1 ampoule le matin 15 minutes avant le déjeuner dans un jus de raisin

Tisanes comprenant les plantes suivantes:
a) bourdaine, boldo, prêle, chiendent, queues de cerise, reine-des-prés, réglisse, verveine, aigremoine, genévrier, frêne, cassis, hysope.
b) bourdaine, angélique, réglisse, boldo, verveine, reine-des-prés, aigremoine.

1 tasse après chaque repas (alterner)

Magnésium en liquide:
1 c. à thé le matin au lever dans du jus

S'il y a constipation, prendre en plus un tonique stimulant de la vésicule biliaire à base de boldo, d'artichaut, de pissenlit;
20 gouttes le matin et 20 gouttes le soir au coucher.

Dépression

Suggestions:

1) Remplacer le sucre par la mélasse des Barbades

2) Deux salades par jour avec deux cuillères à soupe de vinaigre de cidre de pomme et d'huile de tournesol avec sel de mer.

3) Lire: «Guérir votre foie»

Supplémentation:

Vitamine B complexe de source naturelle à base de levure, de foie déshydraté, de pollen et d'huile de germe de blé:
3 comprimés après les repas

Supplément de calcium et de magnésium à base de poudre d'os, de dolomite, de prêle et de luzerne:
2 comprimés avant les repas

Tonique revitalisant à base de levure, de ginseng, de fénugrec, d'algues marines, de thym et de romarin:
1 c. à thé après les repas

Supplément de ginseng:
1 ampoule le matin

Fleurs d'oranger:
1 infusion avant le coucher

Ensemble des plantes suivantes: ménianthe, grand millet, gingembre, persil, aunée, aigremoine, chicorée sauvage:
1 comprimé après chaque repas.

Dépression nerveuse

Suggestions :

1) Remplacer le sucre par la mélasse des Barbades

2) Supprimer les stimulants (café, thé, chocolat, etc.)

3) Deux salades par jour avec deux cuillères à soupe de vinaigre de cidre de pomme et d'huile de tournesol avec sel de mer

4) Faire une marche quotidienne

5) Prendre un bain chaud le soir

6) Lire «Guérir votre foie» et «La santé par les jus»

Supplémentation :

Vitamine B complexe de source naturelle provenant de la levure, du foie déshydraté, du pollen de fleur et de l'huile de germe de blé :
3 comprimés après les repas

Ginseng et gelée royale :
1 ampoule par jour le matin

Calcium et magnésium provenant de la poudre d'os et de la dolomite, accompagnés de prêle et de luzerne :
2 comprimés avant les repas

Tonique revitalisant à base de levure, de ginseng, de fénugrec, d'algues marines, de thym et de romarin :
1 cuillère à soupe avant les repas

Tisane de fleurs d'oranger :
1 tasse avant le coucher

Ensemble des plantes suivantes : ménianthe, grand millet, gingembre, réglisse, persil, aunée, aigremoine, chicorée sauvage :
1 comprimé après chaque repas.

Diabète

Suggestions:

1) Faire de l'exercice régulièrement

2) Éviter la constipation

3) Éviter la suralimentation

4) Réduire la consommation de sucres et d'hydrates de carbone

5) Lire «Guérir votre foie»

Supplémentation:

Extrait de radis noir et artichaut:
1 ampoule au lever dans un verre de jus de raisin

Vitamine E - 200 U.I.:
1 capsule à jeûn le matin

Vitamine B complexe de source naturelle provenant de la levure, du foie déshydraté, du pollen de fleur et de l'huile de germe de blé:
1 comprimé après les repas

Vitamine C 300 mg avec bioflavonoïdes:
1 comprimé après les repas

Lécithine - 1200 mg:
1 capsule à jeûn le matin.

Diarrhée

Suggestions:

1) Éviter les aliments acidifiants (voir page 139)
2) Mastiquer lentement: 30 fois par bouchée
3) Éviter les crudités, tout doit être cuit
4) Un repas de riz brun dans la journée
5) Lire «Guérir votre foie»

Supplémentation:

Vitamine B complexe de source naturelle à base de levure, de foie déshydraté, de pollen et d'huile de germe de blé:
2 comprimés à chaque repas

Chlorophylle:
3 comprimés par jour ou plus au besoin

Eau de riz:
4 onces avant les repas

Poudre de caroube:
2 c. à thé dans du lait ou de l'eau tiède

Supplément de calcium et de magnésium à base de poudre d'os, de dolomite, de prêle et de luzerne:
1 comprimé avant chaque repas

Cultures de yogourt:
1 comprimé après chaque repas.

Dyspepsie (Mauvaise digestion)

Suggestions:

1) Mastication lente: 30 fois par bouchée

2) Attention au tabagisme

3) Sieste après les repas

4) Lire «La santé par les jus» et «Guérir votre foie»

Supplémentation:

Enzymes de papaya:
1 comprimé après les repas

Tonique dépuratif à base des plantes suivantes: épine-vinette, chiendent, busserole, bruyère, bardane, bourrache, sureau, cascara-sagrada, gentiane, prêle, sauge, ulmaire:
1 à 2 c. à thé avant les repas

Lactate de calcium:
2 comprimés avant les repas

Tisane comprenant les plantes suivantes: bourdaine, boldo, prêle, chiendent, queues de cerise, reine-des-prés, réglisse, verveine, aigremoine, genévrier, frêne, cassis, hysope:
1 tasse après chaque repas.

Ecchymose et fragilité des capillaires

Suggestions:

1) Boire 1 verre de 8 onces de jus de carotte, pomme, céleri avant les repas

2) Lire «La santé par les jus» et «Guérir votre foie»

3) Application d'argile

Supplémentation:

Vitamine C 300 mg avec bioflavonoïdes:
1 comprimé après les repas

Magnésium en liquide:
1 c. à thé le matin et le soir

Multivitamine et minéraux:
1 capsule après les repas

Tisane comprenant les plantes suivantes: bourdaine, boldo, prêle, chiendent, queues de cerise, reine-des-prés, réglisse, verveine, aigremoine, genévrier, frêne, cassis, hysope:
1 tasse après les repas.

Eczéma

Suggestions:

1) Supprimer les sucres, les produits laitiers; réduire les féculents

2) Attention aux aliments acidifiants (voir page 139)

3) Application de cataplasme d'argile

4) Bain chaud le soir

5) Lire «Guérir votre foie»

Supplémentation:

Extrait de radis noir et artichaut:
1 ampoule le matin 15 minutes avant le déjeuner dans un jus de raisin

Ensemble des plantes suivantes: ménianthe, grand millet, gingembre, réglisse, persil, aunée, aigremoine, chicorée sauvage:
1 comprimé après les repas

Vitamine B complexe de source naturelle à base de levure, de foie déshydraté, de pollen et d'huile de germe de blé:
2 comprimés à chaque repas

Tisane comprenant les plantes suivantes: bourdaine, angélique, réglisse, boldo, verveine, reine-des-prés, aigremoine:
1 tasse après chaque repas

Levure Torula:
2 comprimés avant les repas

Lactate de calcium:
1 comprimé avant les repas

Pommade naturiste:
Utiliser selon les indications.

Emphysème

Suggestions:

1) Éviter sucre et féculent au même repas
2) Bain chaud le soir
3) Marche quotidienne
4) Lire «Guérir votre foie» et «La vitamine E et votre santé»

Supplémentation:

Extrait de radis noir et artichaut:
une ampoule le matin 15 minutes avant le déjeuner dans un jus de raisin

Tonique à base des plantes suivantes: écorce de pin blanc, écorce de cerisier sauvage, nard américain, bourgeons de peuplier, sanguinaire:
1 c. à thé avant les repas

Vitamine C 300 mg avec bioflavonoïdes:
1 comprimé avant les repas

Tisane comprenant les plantes suivantes: prêle, chiendent, frêne, queues de cerise, cassis, serpolet, genévrier, hysope, sureau:
1 tasse après les repas

Vitamine E 200 U.I.:
1 capsule après les repas

Ail:
1 capsule au repas.

Extinction de voix

Suggestions:

1) Supprimer le tabac

Supplémentation:

Tonique pour les voies respiratoires à base des plantes suivantes: pin blanc, cerisier sauvage, peuplier, nard américain, sanguinaire:
1 c. à thé à toutes les trois heures ou selon le besoin

Vitamine C 300 mg avec bioflavonoïdes:
1 comprimé par repas

Vitamine B complexe de source naturelle à base de levure, de foie déshydraté, de pollen et d'huile de germe de blé:
1 comprimé après les repas

Magnésium en liquide:
1 c. à thé avec deux c. à soupe de mélasse des Barbades à prendre en soirée.

Fausse-couche

Suggestions:

1) Une salade verte par jour assaisonnéè avec deux cuillerées à soupe de vinaigre de cidre de pomme et d'huile de tournesol avec sel de mer

2) Supprimer le tabac, l'alcool, le thé, le café et le chocolat

Supplémentation:

Tonique stimulant de la vésicule biliaire à base de boldo, d'artichaut, de pissenlit:
20 gouttes le matin et 20 gouttes le soir au coucher

Vitamine B complexe de source naturelle à base de levure, de foie déshydraté, de pollen et d'huile de germe de blé:
2 comprimés après les repas

Zinc:
1 comprimé après le déjeuner.

Fatigue

Suggestions:

1) Respiration profonde

2) Marche quotidienne

3) 10 heures de sommeil par jour

4) Lire «Guérir votre foie»

Supplémentation:

Extrait de radis noir et artichaut:
1 ampoule le matin 15 minutes avant le déjeuner dans un jus de raisin

Gelée royale:
1 ampoule le matin dans du jus durant un mois

Continuer ensuite à l'aide d'un tonique revitalisant à base de levure, de ginseng, de fénugrec, d'algues marines, de thym, et de romarin:
1 c. à thé avant les repas

N.B.: En cas de fatigue extrême, prendre ces deux suppléments en même temps.

Tisane comprenant les plantes suivantes: bourdaine, boldo, prêle, chiendent, queues de cerise, reine-des-prés, réglisse, verveine, aigremoine, genévrier, frêne, cassis, hysope:
1 tasse après les repas

Multivitamine et minéraux:
1 capsule au petit déjeuner

Ensemble des plantes suivantes: mélisse, mauve, bourdaine, cascara, épine-vinette, guimauve, menthe:
1 comprimé après les repas.

Femme enceinte et femme qui allaite

Suggestions:

1) Consommer des jus frais faits à l'extracteur à jus: 3 onces de jus de pomme et 3 onces de jus de carotte

2) Insaliver les jus

3) Consommer beaucoup de verdure

4) Consommer du poisson trois fois par semaine

5) Avant le coucher, prendre deux cuillerées à soupe de mélasse des Barbades dans une tasse d'eau chaude

6) Il est important de remplacer le sucre blanc par de la mélasse des Barbades

Supplémentation:

Vitamine B complexe de source naturelle à base de levure, de foie déshydraté, de pollen et d'huile de germe de blé:
2 comprimés après les repas

Calcium et magnésium provenant de la poudre d'os et de la dolomite, accompagnés de prêle et de luzerne:
2 comprimés avant chaque repas

Vitamine C 300 mg avec bioflavonoïdes:
2 comprimés pendant le repas

Huile de germe de blé 14 minims:
1 capsule après le petit déjeuner

Zinc:
1 comprimé après le repas du midi

Magnésium en liquide:
1 c. à thé le matin dans du jus.

Feux sauvages

Voir «Herpès»

Fièvre des foins

Suggestions:

1) Éviter les aliments acidifiants
   (voir page 139)
2) Éviter les fritures et le gras animal
3) Prendre un sauna deux fois par semaine ou un bain chaud tous les soirs
4) Supprimer les produits laitiers
5) Éliminer le sucre

Supplémentation:

Extrait de radis noir et artichaut:
1 ampoule le matin dans un verre de jus de raisin

Vitamine C 300 mg avec bioflavonoïdes:
1 comprimé après chaque repas et un autre en soirée

Pollen de fleur:
1 comprimé après chaque repas

Tisane comprenant les plantes suivantes: bourdaine, angélique, réglisse, boldo, verveine, reine-des-prés, aigre-moine:
1 tasse après les repas

Vitamine E 200 U.I.:
1 capsule à jeûn le matin et une autre au coucher

Ensemble des plantes suivantes: mélisse, mauve, bourdaine, cascara, épine-vinette, guimauve, menthe
1 comprimé après chaque repas.

Foie (engorgement du)

Suggestions:

1) Éviter les fritures et le gras animal

2) Mastiquer lentement: 30 fois par bouchée

3) Bouillotte d'eau chaude sur le foie, le soir au coucher

4) Attention aux sucreries

5) Lire «Guérir votre foie»

Supplémentation:

Extrait de radis noir et artichaut:
une ampoule le matin 15 minutes avant le déjeuner dans un jus de raisin

Tonique dépuratif à base des plantes suivantes: épine-vinette, chiendent, busserole, bruyère, bardane, bourrache, sureau, cascara-sagrada, gentiane, prêle, sauge, ulmaire:
1 à 2 c. à thé le matin et le soir dans un jus

Ensemble des plantes suivantes: ménianthe, grand millet, gingembre, réglisse, persil, aunée, aigremoine, chicorée sauvage:
1 comprimé après les repas

Tisane comprenant les plantes suivantes: bourdaine, angélique, réglisse, boldo, verveine, reine-des-prés, aigremoine:
1 tasse après chaque repas.

Fractures

Suggestions:

1) Éviter les aliments acidifiants (voir page 139)

2) Un repas de viande par jour, accompagné d'une salade de crudités

3) Beaucoup de repos

4) Soleil ou lampe solaire

Supplémentation:

Calcium et magnésium provenant de la poudre d'os et de la dolomite, accompagnés de prêle et de luzerne 3 comprimés avant chaque repas (mastiquez)

Vitamine C 300 mg avec bioflavonoïdes: 1 comprimé après chaque repas

Magnésium en liquide: 1 c. à thé matin et soir dans un jus de pomme

Protéine en poudre: 1 c. à soupe avant chaque repas dans un jus (carotte, pomme, céleri).

Furoncles (clous)

Suggestions:

1) Surveiller les intestins

2) Aucune sucrerie

3) Bain chaud le soir

4) Cataplasme d'argile

5) Lire «Guérir votre foie»

Supplémentation:

Extrait de radis noir et artichaut:
1 ampoule le matin 15 minutes avant le déjeuner dans un jus de raisin

Tonique dépuratif à base des plantes suivantes: épine-vinette, chiendent, busserole, bruyère, bardane, bourrache, sureau, cascara-sagrada, gentiane, prêle, sauge, ulmaire:
1 à 2 c. à thé avant chaque repas

Vitamine B complexe de source naturelle à base de levure, de foie déshydraté, de pollen et d'huile de germe de blé:
2 comprimés à chaque repas

Tisane comprenant les plantes suivantes: bourdaine, boldo, prêle, chiendent, queues de cerise, reine-des-prés, réglisse, verveine, aigremoine, genévrier, frêne, cassis, hysope:
1 tasse après chaque repas

Chlorophylle:
1 comprimé avant chaque repas

Ail:
1 capsule au repas.

Gastrite

Suggestions:

1) Éviter les fritures
2) Éviter la combinaison alimentaire sucre-féculent
3) Mastiquer lentement: 30 fois par bouchée
4) Faire une sieste après les repas si possible
5) Éviter la suralimentation
6) Lire «Guérir votre foie»

Supplémentation:

Lactate de calcium:
2 comprimés avant les repas

Fénugrec:
1 comprimé après les repas

Tisane comprenant les plantes suivantes: bourdaine, boldo, prêle, chiendent, queues de cerise, reine-des-prés, réglisse, verveine, aigremoine, genévrier, frêne, cassis, hysope:
1 tasse après les repas

Tonique dépuratif à base des plantes suivantes: épine-vinette, chiendent, busserole, bruyère, bardane, bourrache, sureau, cascara-sagrada, gentiane, prêle, sauge, ulmaire:
1 c. à thé avant les repas

Enzymes de papaya:
1 comprimé après les repas.

Gastro-entérite

Suggestions:

1) Manger un repas de riz entier par jour
2) Boire 4 onces d'eau de riz avant les repas
3) Supprimer le sucre blanc, les eaux gazeuses et les épices, le lait et les autres produits laitiers
4) Utiliser comme sucre de la mélasse des Barbades
5) Lire «Guérir votre foie»

Supplémentation:

Vitamine B complexe de source naturelle provenant de la levure, du foie déshydraté, du pollen de fleur et de l'huile de germe de blé:
2 comprimés après les repas

Calcium et magnésium provenant de la poudre d'os et de la dolomite, accompagnés de prêle et de luzerne:
2 comprimés avant les repas.

Gaz - ballonnements - flatulence

Suggestions:

1) Mastication lente: 30 fois par bouchée

2) Éviter les sucres et féculents au même repas

3) Ne pas boire en mangeant

4) Sieste après les repas

5) Exercices pour les muscles abdominaux

6) Lire «Guérir votre foie»

Supplémentation:

Tonique pour stimuler la vésicule biliaire à base des plantes suivantes: boldo, artichaut, pissenlit:
40 gouttes le matin au lever dans du jus

Ensemble des plantes suivantes: ménianthe, grand millet, gingembre, réglisse, persil, aunée, aigremoine, chicorée sauvage:
1 comprimé après les repas

Tonique dépuratif à base des plantes suivantes: épine-vinette, chiendent, busserole, bruyère, bardane, bourrache, sureau, cascara-sagrada, gentiane, prêle, sauge, ulmaire:
1 à 2 c. à thé avant les repas

Tisane comprenant les plantes suivantes: bourdaine, boldo, prêle, chiendent, queues de cerise, reine-des-prés, réglisse, verveine, aigremoine, genévrier, frêne, cassis, hysope:
1 tasse après les repas.

Gerçures

Suggestions:

1) Éviter les sucreries, le thé, le café et les aliments acidifiants (voir page 139)

2) Cataplasme d'argile et d'huile (délayer l'argile dans de l'huile de soya, tournesol ou olive)

Supplémentation:

Lactate de calcium:
2 comprimés avant chaque repas

Tonique dépuratif à base des plantes suivantes: épine-vinette, chiendent, busserole, bruyère, bardane, bour-rache, sureau, cascara-sagrada, gentiane, prêle, sau-ge, ulmaire:
1 à 2 c. à thé avant les repas

Vitamine C 300 mg avec bioflavonoïdes:
1 comprimé après les repas

Vitamine B complexe de source naturelle à base de levure, de foie déshydraté, de pollen de fleur et d'huile de germe de blé:
2 comprimés à chaque repas

Pommade naturiste:
Tel que recommandée.

Glaucome

Suggestions :

1) Éviter les fritures et le gras animal

2) Attention aux sucreries

3) Lire «La vitamine E et votre santé» et «Guérir votre foie»

Supplémentation :

Extrait de radis noir et artichaut :
1 ampoule le matin 15 minutes avant le déjeuner dans un jus de raisin

Ensemble des plantes suivantes : mélisse, mauve, bourdaine, cascara, épine-vinette et menthe :
1 comprimé après les repas

Lécithine 1200 mg :
1 capsule avant les repas

Vitamine E 200 U.I. :
1 capsule à chaque repas

Tisane comprenant les plantes suivantes : bourdaine, angélique, réglisse, boldo, verveine, reine-des-prés, aigremoine :
1 tasse après les repas.

Goitre

Suggestions:

1) Éviter les sucreries

2) Lire «Le guide de l'alimentation naturelle»

Supplémentation:

Algues marines:
2 comprimés à chaque repas

Magnésium en liquide:
1 c. à thé le matin et le soir dans un jus

Tisane comprenant les plantes suivantes: bourdaine, boldo, prêle, chiendent, queues de cerise, reine-des-prés, réglisse, verveine, aigremoine, baies de genévrier, cassis, hysope:
1 tasse après les repas

Vitamine B complexe de source naturelle provenant de la levure, du foie déshydraté, du pollen de fleur et de l'huile de germe de blé:
2 comprimés à chaque repas.

Goutte

Suggestions:

1) Éviter les boissons alcoolisées

2) Attention aux sucreries

3) Lire «Guérir votre foie»

4) Bain chaud le soir

Supplémentation:

Extrait de radis noir et artichaut:
1 ampoule le matin 15 minutes avant le déjeuner dans un jus de raisin

Aubier de tilleul sauvage:
1 tasse entre chaque repas

Vitamine C 300 mg avec bioflavonoïdes:
1 comprimé à chaque repas

Luzerne:
1 comprimé avant chaque repas

Tisane comprenant les plantes suivantes: frêne, gui, cassis, reine-des-prés, géranium Robert, pissenlit, verveine, mille-feuille, consoude, hysope:
1 tasse après chaque repas.

Grippe

Suggestions:

1) Repos au lit

2) Éviter le surmenage

3) Boire des jus de fruits et de légumes frais

Supplémentation:

Vitamine C 300 mg avec bioflavonoïdes:
1 comprimé aux trois heures

Tisane comprenant les plantes suivantes: bourdaine, boldo, prêle, chiendent, queues de cerise, reine-des-prés, réglisse, verveine, aigremoine, genévrier, frêne, cassis, hysope:
1 tasse après chaque repas

Ensemble des plantes suivantes: bourrache herbe, thym, bouillon blanc, lierre terrestre, racine d'aunée, capillaire, violette:
1 tasse entre les repas et au coucher.

Ail:
1 capsule à chaque repas

Tonique à base de plantes pour les voies respiratoires: écorce de pin blanc, écorce de cerisier sauvage, nard américain, bourgeons de peuplier, sanguinaire:
1 c. à thé aux trois heures au besoin.

Grossesse (pendant la)

Suggestions:

1) Éviter le thé et le café

2) Éviter le tabagisme

3) Éviter l'alcool

4) Manger plus de fruits et de légumes frais

5) Éviter les sucreries et les fritures

Supplémentation:

Protéine:
1 c. à table dans un liquide après les repas

Gelée royale:
1 capsule au petit déjeuner

Spiruline:
1 comprimé à chaque repas

Calcium et magnésium provenant de la poudre d'os et de la dolomite, accompagnés de prêle et de luzerne:
2 comprimés avant les repas

Vitamine B complexe de source naturelle provenant de la levure, du foie déshydraté, du pollen de fleur et de l'huile de germe de blé:
2 comprimés après les repas

Huile de germe de blé:
1 capsule après les repas

Vitamine C 300 mg avec bioflavonoïdes:
1 comprimé après les repas.

Grossesse (après la)

Suggestions:

1) Prendre suffisamment de sommeil

2) Faire une marche quotidienne

3) Faire des respirations profondes

4) Éviter les sucreries et les fritures

5) Éviter l'alcool

Supplémentation:

Tonique revitalisant à base de levure, de ginseng, de fénugrec, d'algues marines, de thym et de romarin:
1 c. à thé avant chaque repas

Foie déshydraté et vitamine B_{12}:
2 comprimés avant les repas

Tisane comprenant les plantes suivantes: bourdaine, angélique, réglisse, boldo, verveine, reine-des-prés, aigremoine:
1 tasse après les repas

Calcium et magnésium provenant de la poudre d'os et de la dolomite, accompagnés de prêle et de luzerne:
2 comprimés avant les repas

Algues marines:
2 comprimés après les repas

Vitamine C 300 mg avec bioflavonoïdes:
1 comprimé après les repas.

Hernie

Suggestions:

1) Faire des exercices appropriés

2) Éviter de soulever des objets trop lourds

3) Éviter la constipation

4) Réduire les farineux (pain, brioches, céréales, etc.)

Supplémentation:

Vitamine E 200 U.I.:
1 capsule au lever et au coucher

Vitamine B complexe de source naturelle provenant de la levure, du foie déshydraté, du pollen de fleur et de l'huile de germe de blé:
2 comprimés après les repas

Tonique revitalisant à base de levure, de ginseng, de fénugrec, d'algues marines, de thym et de romarin:
1 c. à thé avant les repas

Huile de germe de blé - 14 minims:
2 capsules après les repas

Protéine en poudre:
1 c. à table dans du lait deux fois par jour.

Herpès

Suggestions:

1) Éviter l'alcool

2) Attention aux sucreries

3) Boire des jus de fruits et de légumes frais tous les jours

Supplémentation:

Ensemble des plantes suivantes: ménianthe, grand millet, gingembre, réglisse, persil, aunée, aigremoine, chicorée sauvage:
1 comprimé après les repas

Vitamine E 400 U.I.:
Percer la capsule et appliquer le contenu sur les régions atteintes. À répéter 4 fois par jour.

Calcium et magnésium provenant de la poudre d'os et de la dolomite, accompagnés de prêle et de luzerne:
2 comprimés avant chaque repas

Vitamine B complexe de source naturelle provenant de la levure, du foie déshydraté, du pollen de fleur et de l'huile de germe de blé:
3 comprimés à chaque repas

Vitamine C 300 mg avec bioflavonoïdes:
1 comprimé avant chaque repas et un autre en soirée.

Hypertension artérielle

Suggestions:

1) Supprimer le sel

2) Repos

3) Attention aux excitants: café, thé, alcool

4) Éviter le tabagisme

Supplémentation:

Ensemble des plantes suivantes: persil, pyrole ombel-lée, busserole, carotte sauvage, chiendent, pariétaire, buchu, guimauve, cascara:
1 comprimé après les repas

Vitamine B complexe de source naturelle provenant de la levure, du foie déshydraté, du pollen de fleur et de l'huile de germe de blé:
2 comprimés à chaque repas

Ail:
1 capsule avant chaque repas

Tisane comprenant les plantes suivantes: prêle, chien-dent, frêne, queues de cerise, cassis, serpolet, gené-vrier, hysope, sureau:
1 tasse après chaque repas.

Hypoglycémie

Suggestions:

1) Supprimer les sucreries
2) Prendre une petite collation dans l'avant-midi et l'après-midi (pomme et fromage)
3) Marche quotidienne
4) Lire «Guérir votre foie»

Supplémentation:

Supplément de protéine avec enzymes digestifs:
3 comprimés entre les repas

Ensemble des plantes suivantes: ménianthe, grand millet, gingembre, réglisse, persil, aunée, aigremoine, chicorée sauvage:
1 comprimé après les repas

Tisane comprenant les plantes suivantes: bourdaine, angélique, réglisse, boldo, verveine, reine-des-prés, aigremoine:
1 tasse après les repas

Vitamine B complexe de source naturelle provenant de la levure, du foie déshydraté, du pollen de fleur et de l'huile de germe de blé:
2 comprimé à chaque repas

Huile de germe de blé:
1 capsule à chaque repas.

Hypotension (basse pression)

Suggestions:

1) Repos

2) Sommeil 10 heures par jour

3) Boire des jus de fruits et de légumes frais tous les jours

4) Lire «Guérir votre foie»

Supplémentation:

Vitamine E 200 U.I.:
1 capsule avant les repas

Ensemble des plantes suivantes: mélisse, mauve, bourdaine, cascara, épine-vinette, guimauve, menthe:
1 comprimé après les repas

Tisane comprenant les plantes suivantes: bourdaine, boldo, prêle, chiendent, queues de cerise, reine-des-prés, réglisse, verveine, aigremoine, genévrier, frêne, cassis, hysope:
1 tasse après les repas

Gelée royale:
1 ampoule le matin au lever dans du jus durant 1 mois
Continuer ensuite avec un tonique revitalisant à base de levure, de ginseng, de fénugrec, d'algues marines, de thym et de romarin:
1 c. à thé à chaque repas.

Hystérectomie («grande opération»)

Suggestions:

1) Supprimer le gras animal et les fritures

2) Prendre beaucoup de repos (minimum 10 heures de sommeil par nuit)

3) Éviter la constipation

4) Lire «Le guide de l'alimentation naturiste»

Supplémentation:

Vitamine C 300 mg avec bioflavonoïdes:
1 comprimé après les repas et un autre en soirée

Vitamine B complexe de source naturelle provenant de la levure, du foie déshydraté, du pollen et de l'huile de germe de blé:
2 comprimés après les repas

Vitamine E - 200 U.I.:
1 capsule au lever

Chlorophylle:
3 comprimés après les repas

Ginseng:
1 ampoule au lever.

Incontinence d'urine chez les enfants

Suggestions:

1) Éviter de donner du lait à l'enfant après six heures p.m.

2) Cultiver à la maison une atmosphère sereine

3) Éviter les boissons gazeuses

4) Éviter les aliments dénaturés (junk foods)

Supplémentation:

Magnésium en liquide:
½ c. à thé le matin et le soir dans un peu de jus

Multivitamine et minéraux:
1 comprimé ou 1 capsule par jour

Poudre d'os, dolomite, prèle, luzerne:
2 comprimés avant les repas

Vitamine B complexe de source naturelle provenant de la levure Torula, du foie déshydraté, du pollen de fleur et de l'huile de germe de blé:
2 comprimés après chaque repas

Lécithine:
1 capsule par jour.

Impuissance sexuelle

Suggestions:

1) Manger des noix régulièrement

2) Manger des viandes rouges, des oeufs et des légumes crus

3) Éviter l'alcool et le tabac

4) Faire des exercices abdominaux

Supplémentation:

Ginseng:
1 ampoule le matin à jeûn

Vitamine E 400 U.I.:
1 capsule à jeûn le matin et une autre le soir

Vitamine B complexe de source naturelle provenant de la levure, du foie déshydraté, du pollen de fleur et de l'huile de germe de blé:
2 comprimés après chaque repas

Magnésium en liquide:
1 c. à thé matin et soir dans un jus

Calcium et magnésium provenant de la poudre d'os et de la dolomite, accompagnés de prêle et de luzerne:
2 comprimés avant chaque repas.

Infections

Suggestions:

1) Éviter les aliments acidifiants
   (voir page 139)

2) Bain chaud le soir

3) Attention aux sucreries

4) Lire «Le guide de l'alimentation naturelle»

Supplémentation:

Extrait de radis noir et artichaut:
1 ampoule le matin 15 minutes avant le déjeuner dans un jus de raisin

Magnésium en liquide:
1 c. à thé le matin et le soir dans un jus

Lactate de calcium:
2 comprimés avant les repas

Vitamine C 300 mg avec bioflavonoïdes:
1 comprimé après chaque repas; au début d'une infection, 1 comprimé aux 2 heures

Tisane comprenant les plantes suivantes: bourdaine, boldo, prêle, chiendent, queues de cerise, reine-des-prés, réglisse, verveine, aigremoine, genévrier, frêne, cassis, hysope:
1 tasse après les repas.

Infection de la vessie

Suggestions:

1) Supprimer les aliments acidifiants (voir page 139)

2) Bain chaud tous les jours

3) Beaucoup de sommeil

4) Application d'argile verte sur le bas-ventre

Supplémentation:

Vitamine C 300 mg avec bioflavonoïdes:
1 comprimé à toutes les 2 heures

Magnésium en liquide:
1 c. à thé avant chaque repas

Tisane comprenant les plantes suivantes: prêle, chiendent, frêne, queues de cerise, cassis, serpolet, genévrier, hysope, sureau:
1 tasse après les repas

Ensemble des plantes suivantes: ménianthe, grand millet, gingembre, réglisse, persil, aunée, aigremoine, chicorée sauvage:
1 comprimé après les repas et 2 au coucher

Calcium et magnésium provenant de la poudre d'os et de la dolomite, accompagnés de prêle et de luzerne:
2 comprimés avant les repas.

Insomnie

Suggestions:

1) Bain chaud le soir

2) Attention aux sucreries

3) Se détendre régulièrement

4) Marche quotidienne

Supplémentation:

Ensemble des plantes calmantes suivantes: pulsatille, lobélie, aubépine, gelsémium, passiflore, valériane: 1 comprimé au coucher

Magnésium en liquide: 1 c. à thé le matin et le soir dans un jus

Vitamine B complexe de source naturelle provenant de la levure, du foie déshydraté, du pollen de fleur et de l'huile de germe de blé: 2 comprimés à chaque repas

Tisane comprenant les plantes suivantes: camomille, tilleul, aubépine, menthe verte, fleurs d'oranger, anis, mélisse, pensée sauvage, verveine, valériane: 1 tasse après chaque repas

Eau de fleurs d'oranger dans la tisane au besoin.

Insuffisance biliaire

Suggestions:

1) Supprimer les fritures

2) Mastication lente: 30 fois par bouchée

3) Attention aux produits laitiers

4) Lire «Guérir votre foie»

5) Marche quotidienne

Supplémentation:

Tonique stimulant de la vésicule biliaire à base de boldo, d'artichaut, de pissenlit;
40 gouttes le matin au lever; au besoin: 20 gouttes le soir au coucher

Vitamine B complexe de source naturelle provenant de la levure, du foie déshydraté, du pollen de fleur et de l'huile de germe de blé:
2 comprimé avant les repas

Ensemble des plantes suivantes: mélisse, mauve, bourdaine, cascara, épine-vinette, guimauve, menthe:
1 comprimé après les repas du midi et du soir

Tisane comprenant les plantes suivantes: bourdaine, angélique, réglisse, boldo, verveine, reine-des-prés, aigremoine:
1 tasse après les repas.

Kyste

Suggestions:

1) Ne prendre que des jus durant une journée par semaine

2) Éviter les aliments dénaturés

3) Éviter l'alcool, le tabac et les boissons gazeuses

4) Attention aux sucreries

Supplémentation:

Vitamine A 10,000 U.I.:
1 capsule après chaque repas

Vitamine C 300 mg avec bioflavonoïdes:
1 comprimé à chaque repas

Ail:
1 comprimé matin et soir

Tonique dépuratif à base des plantes suivantes: épine-vinette, chiendent, busserole, bruyère, bardane, bourrache, sureau, cascara-sagrada, gentiane, prêle, sauge, ulmaire:
1 c. à thé après chaque repas

Tisane comprenant les plantes suivantes: prêle, chiendent, frêne, queues de cerise, cassis, serpolet, genévrier, hysope, sureau:
1 tasse après chaque repas

Magnésium liquide:
1 c. à thé le matin dans un verre de jus de pomme.

Maigreur

Suggestions:

1) Mastiquer lentement: 30 fois par bouchée

2) Petite collation entre les repas

3) Éviter le tabagisme

4) Lire «Le guide de l'alimentation naturelle»

Supplémentation:

Gelée royale:
1 ampoule dans un jus le matin

Lécithine 1200 mg:
1 capsule avant les repas

Tisane comprenant les plantes suivantes: bourdaine, boldo, prêle, chiendent, queues de cerise, reine-des-prés, réglisse, verveine, aigremoine, genévrier, frêne, cassis, hysope:
1 tasse après les repas

Protéine avec enzymes digestifs:
3 comprimés à chaque repas

Ensemble des plantes suivantes: mélisse, mauve, bourdaine, cascara, épine-vinette, guimauve, menthe:
1 comprimé après les repas.

Maladie de Paget
(ostéite déformante)

Suggestions :

1) Ensoleillement régulier

2) Éviter les aliments acidifiants
   (voir page 139)

3) Éviter l'abus des viandes - pas plus de trois repas
   de viande par semaine

4) Attention aux sucreries

5) Bains chauds le soir

Supplémentation :

Calcium et magnésium provenant de la poudre d'os et
de la dolomite, accompagnés de prêle et de luzerne :
3 comprimés avant les repas

Luzerne :
3 comprimés après les repas

Griffe du diable :
1 comprimé après les repas

Huile de foie de flétan :
1 capsule le matin et le soir après les repas

Magnésium en liquide :
1 c. à thé avant chaque repas dans un peu d'eau.

Maladies vénériennes

Suggestions:

1) Éliminer les sucreries

2) Éliminer les fritures

3) Consommer des légumes verts en grande quantité

Supplémentation:

Ail:
1 capsule après chaque repas

Cultures de yogourt:
1 comprimé après les repas

Vitamine C 300 mg avec bioflavonoïdes:
1 comprimé après les repas et un autre en soirée

Vitamine A 10,000 U.I.:
1 capsule matin et soir

Chlorophylle:
2 comprimés avant les repas

Magnésium en liquide:
1 c. à thé matin et soir dans du jus.

Manque d'appétit

Suggestions:

1) Faire plus d'exercice au grand air

2) Éviter les aliments indigestes, fritures, etc.

3) Lire «Guérir votre foie»

4) Au repas, utiliser le sel végétalisé

Supplémentation:

Tonique à base de plantes stimulantes de la vésicule biliaire: boldo, artichaut, pissenlit;
40 gouttes le matin

Vitamine B complexe de source naturelle provenant de la levure, du foie déshydraté, du pollen de fleur et de l'huile de germe de blé:
2 comprimés après les repas

Gelée royale:
1 ampoule dans du jus 20 minutes avant le souper.

Mauvaise haleine

Suggestions:

1) Manger plus de fruits et de légumes frais
2) Ne pas abuser des produits laitiers
3) Mastiquer à fond les aliments: 30 fois par bouchée
4) Éviter la constipation
5) Attention au tabagisme
6) Lire «Guérir votre foie»

Supplémentation:

Extrait de radis noir et artichaut:
1 ampoule le matin 15 minutes avant le déjeuner dans un jus de raisin

Chlorophylle:
2 comprimés après chaque repas

Ensemble des plantes suivantes: mélisse, mauve, bourdaine, cascara, épine-vinette, guimauve, menthe:
1 comprimé après chaque repas

Tisane comprenant les plantes suivantes: bourdaine, boldo, prêle, chiendent, queues de cerise, reine-des-prés, réglisse, verveine, aigremoine, genévrier, frêne, cassis, hysope:
1 tasse après les repas

Tonique dépuratif à base des plantes suivantes: épine-vinette, chiendent, busserole, bruyère, bardane, bourrache, sureau, cascara-sagrada, gentiane, prêle, sauge, ulmaire:
1 c. à thé avant chaque repas

Papaïne:
1 comprimé avant chaque repas.

Ménopause (troubles de la)

Suggestions:

1) Attention aux sucreries

2) Marche quotidienne

3) Respiration profonde

4) Lire «Guérir votre foie»

Supplémentation:

Algues marines:
2 comprimés à chaque repas

Vitamines E 200 U.I.:
1 capsule après les repas

Ensemble des plantes suivantes: mélisse, mauve, bourdaine, cascara, épine-vinette, guimauve, menthe:
1 comprimé après les repas

Tisane comprenant les plantes suivantes: bourdaine, angélique, réglisse, boldo, verveine, reine-des-prés, aigremoine:
1 tasse après les repas.

Menstruations difficiles

Suggestions:

1) Attention aux sucreries

2) Bouillotte d'eau chaude sur le foie

3) Lire «Guérir votre foie»

Supplémentation:

Ensemble des plantes suivantes: mélisse, mauve, bourdaine, cascara, épine-vinette, guimauve, menthe
1 comprimé après les repas

Vitamine E 200 U.I.:
1 capsule à chaque repas

Calcium et magnésium provenant de la poudre d'os et de la dolomite, accompagnés de prêle et de luzerne:
2 comprimés avant chaque repas

Tisane comprenant les plantes suivantes: bourdaine, boldo, prêle, chiendent, queues de cerise, reine-des-prés, réglisse, verveine, aigremoine, genévrier, frêne, cassis, hysope:
1 tasse après chaque repas.

Migraine

Suggestions:

1) Attention au thé et au café

2) Réduire le sel

3) Bain chaud le soir

4) Lire «Le guide de l'alimentation naturelle» et «Guérir votre foie»

Supplémentation:

Extrait de radis noir et artichaut:
1 ampoule le matin 15 minutes avant le déjeuner dans un jus de raisin

Ensemble des plantes suivantes: persil, pyrole ombellée, busserole, carotte sauvage, chiendent, pariétaire, buchu, guimauve, cascara:
1 comprimé après les repas

Tisane comprenant les plantes suivantes: bourdaine, boldo, prêle, chiendent, queues de cerise, reine-des-prés, réglisse, verveine, aigremoine, genévrier, frêne, cassis, hysope:
1 tasse après les repas

Vitamine B complexe de source naturelle provenant de la levure, du foie déshydraté, du pollen de fleur et de l'huile de germe de blé:
2 comprimés à chaque repas.

Mononucléose

Suggestions:

1) Lors de la phase aiguë, s'il y a fièvre, application de compresses d'eau froide sur le front

2) Application d'argile verte sur la gorge

3) Supprimer les produits laitiers, le gras animal et les fritures

4) Beaucoup de repos (minimum 10 à 12 heures de sommeil par nuit pendant plusieurs mois

5) Surveiller les intestins; un lavement si nécessaire

Supplémentation:

Gelée royale:
1 ampoule le matin au lever et le soir au coucher dans un jus de carotte, pomme et céleri

Vitamine C 300 mg avec bioflavonoïdes:
1 comprimé à toutes les deux heures

Tisane comprenant les plantes suivantes: bourdaine, angélique, réglisse, boldo, verveine, reine-des-prés, aigremoine:
1 tasse après les repas

Magnésium en liquide:
1 c. à thé avant chaque repas dans un peu d'eau

Vitamine B complexe de source naturelle provenant de la levure, du foie déshydraté, du pollen de fleur et de l'huile de germe de blé:
3 comprimés à chaque repas (mastiquez).

Nervosité

Suggestions:

1) Éviter les sucreries

2) Bain chaud le soir

3) Marche quotidienne

4) Lire «Les vitamines naturelles»

5) Supprimer les aliments acides

6) Supprimer les stimulants tels que thé, café, chocolat, épices, etc.

Supplémentation:

Vitamine B complexe de source naturelle provenant de la levure, du foie déshydraté, du pollen de fleur et de l'huile de germe de blé:
2 comprimés à chaque repas

Tonique dépuratif à base des plantes suivantes: épinevinette, chiendent, busserole, bruyère, bardane, bourrache, sureau, cascara-sagrada, gentiane, prêle, sauge, ulmaire:
1 à 2 c. à thé avant les repas

Lécithine 1200 mg:
1 capsule à chaque repas

Tisane comprenant les plantes suivantes: camomille, tilleul, aubépine, menthe verte, fleurs d'oranger, anis, mélisse, pensée sauvage, verveine, valériane:
1 tasse après chaque repas

Eau de fleurs d'oranger dans la tisane au besoin.

Obésité

Suggestions:

1) Réduire les farineux et les féculents

2) Supprimer les sucreries

3) Marche quotidienne

4) Bain chaud le soir

5) Lire «Le guide de l'alimentation naturelle»

6) Massage avec crème aux algues et gant de crin

7) Lire «L'exercice physique pour tous»

Supplémentation:

Ensemble des plantes suivantes: mélisse, mauve, bourdaine, cascara, épine-vinette, guimauve, huile de menthe:
1 comprimé après les repas

Vitamine C 300 mg avec bioflavonoïdes:
1 comprimé après les repas

Substitut de repas:
Remplacer 1 ou 2 repas par jour par le substitut

Algues marines:
2 comprimés à chaque repas

Tisane comprenant les plantes suivantes: sauge, frêne, thym, lierre terrestre, varec vésiculeux, fleurs et feuilles d'aubépine, pensée sauvage:
1 tasse après les repas.

Oedème

Suggestions:

1) Réduire le sel

2) Éviter les fritures et le gras animal

3) Lire «Guérir votre foie»

Supplémentation:

Ensemble des plantes suivantes: persil, pyrole ombellée, busserole, carotte sauvage, chiendent, pariétaire, buchu, guimauve, cascara:
1 comprimé après les repas

Vitamine C 300 mg avec bioflavonoïdes:
1 comprimé à chaque repas

Algues marines:
1 comprimé avant les repas

Tisane comprenant les plantes suivantes: prêle, chiendent, frêne, queues de cerise, cassis, serpolet, genévrier, hysope, sureau:
1 tasse après les repas.

Ostéoporose

Suggestions:

1) Supprimer les aliments acides (voir page 139)

2) Attention aux sucreries

3) Manger régulièrement du fromage cottage maigre

4) Lire «Le guide de l'alimentation naturelle»

Supplémentation:

Calcium et magnésium provenant de la poudre d'os et de la dolomite, accompagnés de prêle et de luzerne: 2 comprimés avant chaque repas

Vitamines B complexes de source naturelle provenant de la levure, du foie déshydraté, du pollen de fleur et de l'huile de germe de blé:
2 comprimés à chaque repas

Magnésium en liquide:
1 c. à thé le matin et le soir dans un jus

Tisane comprenant les plantes suivantes: bourdaine, boldo, prêle, chiendent, queues de cerise, reine-des-prés, réglisse, verveine, aigremoine, genévrier, frêne, cassis, hysope:
1 tasse après les repas.

Otite

Suggestions:

1) Manger beaucoup de fruits et de légumes frais

2) Éliminer les sucreries

3) Éliminer les aliments acidifiants
   (voir page 139)

Supplémentation:

Vitamine C 300 mg avec bioflavonoïdes:

1 comprimé à toutes les trois heures

Magnésium en liquide:

1 c. à thé le matin au lever

Tisane comprenant les plantes suivantes: bourdaine, boldo, prêle, chiendent, queues de cerise, reine-des-prés, réglisse, verveine, aigremoine, genévrier, frêne, cassis, hysope:

1 tasse après les repas

Alterner avec la tisane comprenant les plantes suivantes: bourdaine, angélique, réglisse, boldo, verveine, reine-des-prés, aigremoine:

1 tasse après les repas

Application locale: Quelques gouttes réchauffées de magnésium en liquide dans l'oreille, appliquées à l'aide d'une ouate.

Palpitations

Suggestions:

1) Eviter le stress

2) Diminuer le gras animal

3) Prendre une marche quotidienne

4) Faire des respirations profondes

5) Lire «Le coeur et l'alimentation»

Supplémentation:

Calcium et magnésium provenant de la poudre d'os et de la dolomite, accompagnés de prêle et de luzerne: 2 comprimés avant chaque repas

Vitamine E 400 U.I.:
1 capsule avant chaque repas s'il n'y a pas d'hypertension artérielle; en pareil cas, utiliser de la vitamine E à 25 U.I.

Lécithine - 1200 mg:
1 capsule avant chaque repas

Magnésium en liquide:
1 c. à thé le matin et le soir dans un jus

Vitamine B complexe de source naturelle provenant de la levure, du foie déshydraté, du pollen de fleur et de l'huile de germe de blé:
2 comprimés à chaque repas.

Parasites intestinaux (vers)

Suggestions:

1) Eviter les sucres et les farineux au même repas

2) Réduire les repas de viandes

3) Lire «Guérir votre foie»

Supplémentation:
Extrait de radis noir et artichaut:
1 ampoule le matin 15 minutes avant le déjeuner dans un jus de raisin

Ail:
1 capsule à chaque repas

Magnésium en liquide:
1 c. à thé le matin et le soir dans un jus

Tisane comprenant les plantes suivantes: bourdaine, angélique, réglisse, boldo, verveine, reine-des-prés, aigremoine:
1 tasse après les repas

Ensemble des plantes suivantes: mélisse, mauve, bourdaine, épine-vinette, guimauve, huile de menthe:
1 comprimé après les repas

Peau sèche

Suggestions:

1) Attention au gras animal
2) Bouillotte d'eau chaude sur le foie
3) Lire «Guérir votre foie»

Supplémentation:

Extrait de radis noir et artichaut:
1 ampoule le matin 15 minutes avant le déjeuner dans un jus de raisin

Ensemble des plantes suivantes: mélisse, mauve, bourdaine, cascara, épine-vinette, guimauve, menthe:
1 comprimé après les repas

Vitamine B complexe de source naturelle provenant de la levure, du foie déshydraté, du pollen de fleur et de l'huile de germe de blé:
2 comprimés à chaque repas

Vitamine A 10,000 U.I.:
1 capsule avant les repas

Tisane comprenant les plantes suivantes: bourdaine, boldo, prêle, chiendent, queues de cerise, reine-des-prés, réglisse, verveine, aigremoine, genévrier, frêne, cassis, hysope:
1 tasse après les repas.

Perte des cheveux

Suggestions:

1) Supprimer les sucreries et les aliments acidifiants (voir page 139)

2) Laver les cheveux au besoin avec un shampooing naturiste

3) Éviter de garder les cheveux trop longs

Supplémentation:

Extrait de radis noir et artichaut:
1 ampoule le matin 15 minutes avant le déjeuner dans un jus de raisin

Tonique dépuratif à base des plantes suivantes: épine-vinette, chiendent, busserole, bruyère, bardane, bourrache, sureau, cascara-sagrada, gentiane, prêle, sauge, ulmaire:
1 à 2 c. à thé avant les repas

Vitamine B complexe de source naturelle provenant de la levure, du foie déshydraté, du pollen de fleur et de l'huile de germe de blé:
2 comprimés à chaque repas et 2 autres au coucher

Vitamine E 100 U.I.:
1 capsule avant chaque repas

Tisane comprenant les plantes suivantes: bourdaine, boldo, prêle, chiendent, aigremoine, genévrier, frêne, cassis, hysope:
1 tasse après chaque repas.

Prostatite

Suggestions:

1) Attention aux sucreries

2) Bain chaud

3) Lire «Le guide de l'alimentation naturelle»

Supplémentation:

Magnésium en liquide:
1 c. à thé le matin et le soir dans un jus.

Vitamine B complexe de source naturelle provenant de la levure, du foie déshydraté, du pollen de fleur et de l'huile de germe de blé:
2 comprimés à chaque repas

Ensemble des plantes suivantes: persil, pyrole ombellée, busserole, carotte sauvage, chiendent, pariétaire, buchu, guimauve, cascara:
1 comprimé après les repas

Tisane comprenant les plantes suivantes: prêle, chiendent, frêne, queues de cerise, cassis, serpolet, genévrier, hysope, sureau:
1 tasse après les repas

Zinc:
1 comprimé par jour.

Psoriasis

Suggestions:

1) Éviter les sucres et les farineux au même repas

2) Bain chaud le soir

3) Attention aux aliments acidifiants
(voir page 139)

4) Lampe solaire tous les jours ou ensoleillement

Supplémentation:

Ensemble des plantes suivantes: mélisse, mauve, bourdaine, cascara, épine-vinette, guimauve, huile de menthe:
1 comprimé après les repas

Vitamine A, 10,000 U.I.:
1 capsule avant les repas

Vitamine B complexe de source naturelle provenant de la levure, du foie déshydraté, du pollen de fleur et de l'huile de germe de blé:
2 comprimés à chaque repas

Tisane comprenant les plantes suivantes: bourdaine, boldo, prêle, chiendent, queues de cerise, reine-des-prés, réglisse, verveine, aigremoine, genévrier, frêne, cassis, hysope:
1 tasse après les repas.

Rachitisme

Suggestions:

1) Boire des jus de fruits et de légumes frais tous les jours

2) Consommer des produits laitiers maigres tous les jours

3) Beaucoup de repos

Supplémentation:

Calcium et magnésium provenant de la poudre d'os et de la dolomite, accompagnés de prêle et de luzerne: 2 comprimés avant les repas

Vitamine B complexe de source naturelle provenant de la levure, du foie déshydraté, du pollen de fleur et de l'huile de germe de blé: 2 comprimés à chaque repas

Magnésium en liquide: 1 c. à thé le matin et le soir dans un jus.

Rétention d'eau

Suggestions:

1) Prendre un bain chaud tous les jours

2) Éviter le sel et les aliments salés

3) Boire 3 verres d'eau par jour

4) Éviter le café et le thé

5) Apprendre à se détendre par la relaxation

6) Réduire la consommation de farineux

Supplémentation:

Ensemble des plantes suivantes: persil, pyrole ombellée, busserole, carotte sauvage, chiendent, pariétaire, buchu, guimauve, cascara:
1 comprimé après les repas et 2 au coucher

Chlorophylle:
2 comprimés avant chaque repas

Tisane comprenant les plantes suivantes: prêle, chiendent, frêne, queues de cerise, cassis, serpolet, genévrier, hysope, sureau:
1 tasse après chaque repas

Vitamine C 300 mg avec bioflavonoïdes:
1 comprimé après chaque repas et au coucher

Magnésium en liquide:
1 c. à thé matin et soir dans ½ verre d'eau.

Rétention d'urine

Suggestions:

1) Éviter le sel

2) Bain chaud le soir

3) Lire «Le guide de l'alimentation naturelle»

Supplémentation:

Ensemble des plantes suivantes: persil, pyrole ombellée, busserole, carotte sauvage, chiendent, pariétaire, buchu, guimauve, cascara:
1 comprimé après les repas

Chlorophylle:
1 comprimé avant les repas

Tisane comprenant les plantes suivantes: prêle, chiendent, frêne, queues de cerise, cassis, serpolet, genévrier, hysope, sureau:
1 tasse après les repas.

Rhumatisme

Suggestions:

1) Bain chaud le soir

2) Attention aux sucreries

3) Marche quotidienne

4) Lire «Guérir votre foie»

Supplémentation:

Extrait de radis noir et artichaut:
1 ampoule le matin 15 minutes avant le déjeuner dans un jus de raisin

Aubier de tilleul sauvage:
1 tasse entre les repas

Vitamine C 300 mg avec bioflavonoïdes:
1 comprimé après les repas

Tisane comprenant les plantes suivantes: frêne, gui, cassis, reine-des-prés, géranium Robert, pissenlit, verveine, mille-feuille, consoude, hysope:
1 tasse après les repas

Luzerne:
1 comprimé avant les repas.

Rhume

Suggestions:

1) Bain chaud le soir

2) Boire des jus de fruits et de légumes frais

3) Repos

Supplémentation:

Vitamine C 300 mg avec bioflavonoïdes:
1 comprimé aux 4 heures

Ensemble des plantes suivantes: mélisse, mauve, bourdaine, cascara, épine-vinette, guimauve, menthe:
1 comprimé après les repas

Ail:
1 capsule à chaque repas

Tisane comprenant les plantes suivantes: bourdaine, boldo, prêle, chiendent, queues de cerise, reine-des-prés, réglisse, verveine, aigremoine, genévrier, frêne, cassis, hysope:
1 tasse après chaque repas.

Ensemble des plantes suivantes: bourrache herbe, thym, bouillon blanc, lierre terrestre, racine d'aunée, capillaire, violette:
1 tasse entre les repas et au coucher.

Saignement de nez

Suggestions:

1) Éliminer le sucre blanc. Utiliser la mélasse des Barbades

2) Manger une salade par jour avec deux cuillerées à soupe de vinaigre de cidre de pomme et deux cuillerées d'huile de tournesol avec du sel de mer

3) Supprimer l'alcool, le tabac et les eaux gazeuses

Supplémentation:

Vitamine C 300 mg avec bioflavonoïdes:
2 comprimés par repas

Vitamine B complexe de source naturelle provenant de la levure, du foie déshydraté, du pollen de fleur et de l'huile de germe de blé:
2 comprimés après les repas

Calcium et magnésium provenant de la poudre d'os et de la dolomite, accompagnés de prêle et de luzerne:
2 comprimés après les repas.

Sang trop épais
(pour éclaircir le sang)

Suggestions:

1) Éviter les aliments riches en gras animaux

2) Éviter les fritures

3) Boire chaque jour un verre de 8 onces de jus de pomme, céleri et piment vert

4) Attention au tabagisme

Supplémentation:

Extrait de radis noir et artichaut:
1 ampoule le matin 15 minutes avant le déjeuner dans un jus de raisin

Tonique à base des 8 plantes suivantes: bardane, salsepareille, busserole, camomille, cascara-sagrada, épine-vinette, patience, sauge:
1 c. à thé avant les repas

Vitamine C 300 mg avec bioflavonoïdes:
1 comprimé avant les repas

Chlorophylle:
2 comprimés après les repas

Ail:
1 capsule matin et soir

Tisane comprenant les plantes suivantes: prêle, chiendent, frêne, queues de cerise, cassis, serpolet, genévrier, hysope, sureau:
1 tasse après les repas.

Sclérose en plaques

Suggestions:

1) Éviter les aliments dénaturés

2) Attention aux sucreries

3) Éviter l'alcool

4) Diminuer le tabac

5) Réduire les repas de viande

Supplémentation:

Extrait de radis noir et d'artichaut:
1 ampoule le matin dans un jus de pomme

Lécithine - 1200 mg:
2 capsules après les repas

Huile de germe de blé:
2 capsules après les repas

Calcium et magnésium provenant de la poudre d'os et de la dolomite, accompagnés de prêle et de luzerne:
2 comprimés après chaque repas

Vitamine B complexe de source naturelle provenant de la levure, du foie déshydraté, du pollen et de l'huile de germe de blé:
3 comprimés à chaque repas

Vitamine E 200 U.I.:
1 capsule après les repas.

Sinusite

Suggestions:

1) Application d'argile verte sur le front une demi-heure par jour

2) Bain chaud tous les jours

3) Inhalation de vapeur d'huile d'eucalyptus afin de dégager les sinus

4) Réduire les produits laitiers

5) Éviter de manger du sucre et des farineux au même repas

Supplémentation:

Extrait de radis noir et artichaut:
1 ampoule le matin 15 minutes avant le déjeuner dans un jus de raisin

Ensemble des plantes suivantes: ménianthe, grand millet, gingembre, réglisse, persil, aunée, aigremoine, chicorée sauvage:
1 comprimé après les repas et 2 au coucher

Vitamine C 300 mg avec bioflavonoïdes:
1 comprimé après les repas (laisser fondre sur la langue)

Tisane comprenant les plantes suivantes: bourdaine, angélique, réglisse, boldo, verveine, reine-des-prés, aigremoine:
1 tasse après les repas

Vitamines B complexes de source naturelle provenant de la levure, du foie déshydraté, du pollen de fleur et de l'huile de germe de blé:
2 comprimés avant les repas (mastiquez)

Magnésium en liquide:
1 c. à thé matin et soir dans ½ verre de jus de pomme.

Stress

Suggestions:

1) Éviter les excitants: café, thé, chocolat

2) Bain chaud le soir

3) Exercices physiques

4) Lire «L'exercice physique pour tous»

Supplémentation:

Ginseng:
1 comprimé à chaque repas

Vitamine B complexe de source naturelle provenant de la levure, du foie déshydraté, du pollen de fleur et de l'huile de germe de blé:
2 comprimés avant chaque repas

Magnésium en liquide:
1 c. à thé le matin et le soir

Tisane comprenant les plantes suivantes: camomille, tilleul, aubépine, menthe verte, fleurs d'oranger, anis, mélisse, pensée sauvage, verveine, valériane:
1 tasse après les repas.

Surdité (prévention de la)

Suggestions:

1) Éviter le gras animal

2) Éviter le bruit

3) Manger des fruits chaque jour

4) Pratiquer la relaxation

Supplémentation:

Vitamine B complexe de source naturelle provenant de la levure, du foie déshydraté, du pollen de fleur et de l'huile de germe de blé:
1 comprimé après les repas

Ginseng - 500 mg:
1 comprimé matin et soir

Huile de germe de blé - 14 minims:
1 capsule après les repas

Multivitamine et minéraux:
1 capsule par jour

Tisane comprenant les plantes suivantes: camomille, tilleul, aubépine, menthe verte, fleurs d'oranger, anis, mélisse, pensée sauvage, verveine, valériane:
1 tasse après les repas.

Transpiration excessive

Suggestions:

1) Réduire le sel et les aliments salés

2) Apprendre à se détendre par la relaxation

3) Éviter le thé et le café

4) Prendre un bain chaud tous les jours

5) Éviter les aliments frits

Supplémentation:

Ensemble des plantes suivantes: persil, pyrole ombellée, busserole, carotte sauvage, chiendent, pariétaire, buchu, guimauve, cascara:
1 comprimé après chaque repas

Vitamine C 300 mg avec bioflavonoïdes:
1 comprimé après les repas

Tisane à base des plantes suivantes: prêle, chiendent, frêne, queues de cerise, cassis, serpolet, genévrier, hysope, sureau:
1 tasse après les repas

Tonique revitalisant à base de levure, de ginseng, de fénugrec, d'algues marines, de thym et de romarin:
1 c. à thé avant chaque repas.

Triglycérides
(haut taux de gras dans le sang)

Suggestions:

1) Éviter le gras animal et les fritures

2) Éviter les produits laitiers gras

3) Faire plus d'exercice

4) Consommer des aliments riches en fibres

5) Lire «Guérir votre foie»

Supplémentation:

Extrait de radis noir et artichaut:
1 ampoule le matin 15 minutes avant le déjeuner dans un jus de raisin

Lécithine 1200 mg:
1 capsule après les repas

Tonique stimulant de la vésicule biliaire à base de boldo, artichaut, pissenlit;
40 gouttes le matin

Tisane comprenant les plantes suivantes: bourdaine, angélique, réglisse, boldo, verveine, reine-des-prés, aigremoine:
1 tasse après les repas

Huile de safran:
2 capsules après les repas

Vitamine B complexe de source naturelle provenant de la levure, du foie déshydraté, du pollen de fleur et de l'huile de germe de blé:
2 comprimés après les repas.

Ulcères

Suggestions:

1) Attention au tabagisme

2) Éviter les aliments acidifiants (voir page 139)

3) Mastication lente: 30 fois par bouchée

4) Bain chaud le soir

5) Lire «Le Guide de l'alimentation naturelle»

Supplémentation:

Chlorophylle:
1 comprimé avant les repas

Levure Torula:
2 comprimés à chaque repas

Tisane comprenant les plantes suivantes: bourdaine, angélique, réglisse, boldo, verveine, reine-des-prés, aigremoine:
1 tasse après les repas

Calcium et magnésium provenant de la poudre d'os, de la dolomite, accompagnés de prêle et de luzerne:
1 comprimé avant les repas

Luzerne:
2 comprimés après les repas.

Urémie

Suggestions:

1) Abandonner temporairement la consommation de la viande

2) Manger des fruits et des légumes frais

3) Éviter la suralimentation

4) Éviter les épinards, les champignons, les légumineuses, le chou-fleur et les asperges

5) Éviter le thé, le café et le chocolat

Supplémentation:

Extrait de radis noir et artichaut:
1 ampoule le matin 15 minutes avant le déjeuner dans un jus de raisin

Griffe du diable:
2 comprimés après les repas

Lactate de calcium:
1 comprimé avant les repas

Tisane comprenant les plantes suivantes: frêne, gui, cassis, reine-des-prés, géranium Robert, pissenlit, verveine, mille-feuille, consoude, hysope:
1 tasse après les repas

Aubier de tilleul sauvage:
Boire 1 pinte d'eau d'aubier par jour

Magnésium en liquide:
1 c. à thé dans un peu d'eau le matin.

Urticaire

Suggestions:

1) Éviter les fritures et le gras animal

2) Surveiller les aliments acidifiants
   (voir page 139)

3) Bain chaud le soir

4) Lire «Guérir votre foie»

Supplémentation:

Ensemble des plantes suivantes: mélisse, mauve, bourdaine, cascara, épine-vinette, guimauve, menthe:
1 comprimé après les repas

Chlorophylle:
1 comprimé avant les repas

Tisane comprenant les plantes suivantes: bourdaine, boldo, prêle, chiendent, queues de cerise, reine-des-prés, réglisse, verveine, aigremoine, genévrier, frêne, cassis, hysope:
1 tasse après les repas

Levure Torula:
2 comprimés à chaque repas

Vaginite

Suggestions:

1) Supprimer les sucreries et les aliments acidifiants (voir page 139)

2) Manger surtout des fruits et des légumes frais

3) Boire du jus de carotte frais tous les jours

Supplémentation:

Magnésium en liquide:
1 c. à thé le matin et le soir au coucher dans du jus

Vitamine C 300 mg avec bioflavonoïdes:
1 comprimé après chaque repas

Tisane comprenant les plantes suivantes: bourdaine, boldo, prêle, chiendent, queues de cerise, reine-des-prés, réglisse, verveine, aigremoine, genévrier, frêne, cassis, hysope:
1 tasse après les repas

Ail:
1 capsule à chaque repas

Calcium et magnésium provenant de la poudre d'os et de la dolomite, accompagnés de prêle et de luzerne:
2 comprimés avant chaque repas

Application locale (douche vaginale):

1) 4 c. à soupe d'argile blanche dans une pinte d'eau tiède ou: 1 c. à soupe de magnésium liquide dans une pinte d'eau tiède ou: (si les démangeaisons persistent); amener à ébullition 1 c. à soupe de thym avec 3 gousses d'ail, laisser tiédir

2) Éviter le port de sous-vêtements en nylon.

Varices

Suggestions:

1) Éviter les fritures et le gras animal

2) Porter un bas élastique

3) Reposer les jambes durant la journée

4) Pratiquer le yoga

Supplémentation:

Ensemble des plantes suivantes: ménianthe, grand millet, gingembre, réglisse, persil, aunée, aigremoine, chicorée sauvage:
1 comprimé après les repas

Vitamine C 300 mg avec bioflavonoïdes:
1 comprimé avant chaque repas

Vitamine E 200 U.I.:
1 capsule à chaque repas

Tisane comprenant les plantes suivantes: bourdaine, angélique, réglisse, boldo, verveine, reine-des-prés, aigremoine:
1 tasse après les repas.

Verrue

Application locale :

Compresse de magnésium en liquide, 2 fois par jour. La compresse qui s'applique au coucher doit être gardée toute la nuit.

Alterner les compresses avec un cataplasme d'argile verte.

Gratter régulièrement à l'aide d'une petite râpe. La verrue deviendra plus souple et diminuera

N.B. : Même traitement pour les **cors au pied**

Supplémentation :

Tonique dépuratif à base des plantes suivantes : épine-vinette, chiendent, busserole, bruyère, bardane, bourrache, sureau, cascara-sagrada, gentiane, prêle, sauge, ulmaire :
1 à 2 c. à thé avant chaque repas

Ail :
1 capsule avant les repas

Magnésium en liquide :
1 c. à thé le matin au lever et le soir au coucher dans du jus

Vitamine B complexe de source naturelle provenant de la levure, du foie déshydraté, du pollen de fleur et de l'huile de germe de blé :
2 comprimés à chaque repas.

Vertige

Suggestions:

1) Attention aux aliments gras

2) Éviter le surmenage

3) Mastication lente: 30 fois par bouchée

4) Marche quotidienne

5) Lire «Guérir votre foie»

Supplémentation:

Extrait de radis noir et artichaut:
une ampoule le matin 15 minutes avant le déjeuner dans un jus de raisin

Magnésium en liquide:
1 c. à thé le matin et le soir dans un jus

Tonique à base des plantes dépuratives suivantes:
épine-vinette, chiendent, busserole, bruyère, bardane, bourrache, sureau, cascara-sagrada, gentiane, prêle, sauge, ulmaire:
1 c. à thé avant chaque repas

Ail:
1 capsule à chaque repas

Ensemble des plantes suivantes: mélisse, mauve, bourdaine, cascara, épine-vinette, guimauve, menthe:
1 comprimé après les repas

Lécithine - 1200 mg:
1 capsule après chaque repas.

Vitiligo

Suggestions:

1) Éviter l'alcool
2) Éviter les aliments qui contiennent du sucre blanc
3) Éviter les farines raffinées
4) Lire «Le guide de l'alimentation naturiste»

Supplémentation:

Vitamine B complexe de source naturelle provenant de la levure, du foie déshydraté, du pollen de fleur et de l'huile de germe de blé:
3 comprimés après chaque repas

Ginseng:
1 ampoule le matin

Tisane comprenant les plantes suivantes: bourdaine, boldo, prêle, réglisse, verveine, aigremoine, genévrier, chiendent, queues de cerise, reine-des-prés, frêne, cassis, hysope:
1 tasse après les repas

Huile de germe de blé:
2 capsules après les repas

Algues marines:
3 comprimés après les repas

Tonique stimulant de la vésicule biliaire à base de boldo, d'artichaut, de pissenlit:
40 gouttes au lever dans de l'eau.

Vomissement

Suggestions:

1) Couper les fritures

2) Bouillotte d'eau sur le foie, le soir au coucher

3) Lire «Guérir votre foie»

Supplémentation:

Extrait de radis noir et d'artichaut:
1 ampoule au lever dans un verre d'eau de source ou distillée.

Ensemble des plantes suivantes: mélisse, mauve, bourdaine, cascara, épine-vinette, guimauve, menthe:
1 comprimé après les repas

Tisane comprenant les plantes suivantes: bourdaine, angélique, réglisse, boldo, verveine, reine-des-prés, aigremoine:
1 tasse après les repas

Vitamine B complexe de source naturelle provenant de la levure, du foie déshydraté, du pollen de fleur et de l'huile de germe de blé:
2 comprimés après les repas.

Vue (troubles de la)

Suggestions:

1) Exercices de vision
2) Boire des jus de carotte frais
3) Attention aux aliments acidifiants (voir page 139)
4) Éviter le tabagisme
5) Lire «Guérir votre foie»

Supplémentation:

Extrait de radis noir et artichaut:
1 ampoule le matin 15 minutes avant le déjeuner dans un jus de raisin

Vitamine A 10,000 U.I.:
1 capsule avant les repas

Vitamine B complexe de source naturelle provenant de la levure, du foie déshydraté, du pollen de fleur et de l'huile de germe de blé:
2 comprimés à chaque repas

Ensemble des plantes suivantes: mélisse, mauve, bourdaine, cascara, épine-vinette, guimauve, menthe:
1 comprimé après les repas

Tisane comprenant les plantes suivantes: bourdaine, boldo, prêle, chiendent, queues de cerise, reine-després, réglisse, verveine, aigremoine, genévrier, frêne, cassis, hysope:
1 tasse après les repas.

DEUXIÈME CHAPITRE

Les facteurs
naturels
de santé

INTRODUCTION

La santé d'un individu dépend en grande partie de la façon dont il applique dans sa vie les facteurs naturels de santé. En d'autres mots, le mode de vie est déterminant lorsque vient le temps de retrouver ou de conserver la santé.

Parmi ces facteurs, il faut mentionner notamment l'alimentation, l'exercice physique, l'ensoleillement, la chaleur et l'attitude mentale. Ce sont là des éléments très importants pour plonger l'organisme dans les meilleures conditions possibles de guérison ou de maintien de la santé.

Le corps humain, comme c'est le cas pour toute machine, s'utilise selon un mode d'emploi particulier. Si ce mode d'emploi est respecté, on peut s'attendre à ce que la machine humaine fonctionne bien durant de très nombreuses années. Mais s'il est déficient, on ne doit pas s'étonner de la voir se dérégler sérieusement.

L'individu conscient de la nécessité de se servir de son corps selon la façon voulue par le Créateur, doit donc se mettre à l'étude des grandes lois de la vie et de la nature. Il faut apprendre les règles de vie saine afin d'appliquer concrètement dans sa vie les facteurs naturels de santé. De cette façon, il peut s'attendre à jouir d'une bonne santé.

Trop de gens croient encore qu'ils ne sont pas responsable de leur état de santé. Ils pensent plutôt que la maladie est le résultat d'une sorte de hasard capricieux et pernicieux. En fait, elle est presque toujours liée à un mode de vie déficient. Par conséquent, pour améliorer notre santé, il faut nécessairement modifier nos habitudes de vie. Les pages qui suivent offrent de précieux conseils pratiques à ce sujet.

L'ALIMENTATION NATURELLE

Il est indéniable que les aliments que nous consommons jouent un rôle capital dans notre degré de santé. Si nous consommons des aliments sains, chacune des cellules de notre corps sera mieux nourrie et fonctionnera par conséquent mieux. La formation de nos tissus dépend directement des aliments que nous fournissons à notre organisme. Une bonne alimentation est donc un élément essentiel de santé. Voici d'ailleurs des témoignages éloquents à ce sujet:

- «Notre travail quotidien de médecin nous amène continuellement à la même conclusion: la maladie résulte de la mauvaise alimentation prolongée».

  Dr Lionel James Picton, M.D., O.B.E.
  «Medical Testament and Nutrition of the Soil»

- «Le fait est qu'il n'y a qu'une seule maladie majeure: la nutrition défectueuse. Toute souffrance et affection que nous pouvons ressentir est directement liée à cette maladie majeure».

  Dr C.W. Cavanaugh, M.D.
  Université Cornell

Si nous reconnaissons facilement l'importance d'une saine alimentation, bien peu d'entre nous réussissent à la mettre en pratique dans leur vie de tous les jours. À l'intention des gens désireux de passer de la théorie à la pratique, les pages qui suivent leur permettront de modifier en profondeur leurs habitudes alimentaires.

Choix des aliments

Remplacez ceci	Par cela
• soupes en boîtes ordinaires	jus de légumes frais ou soupes-maison dégraissées.
• légumes en conserve	légumes de saison, frais et crus.
• jus de fruits en boîte	jus frais préparés à l'aide d'un extracteur, ou jus en bouteille vendus dans les magasins d'aliments naturels.
• fruits en conserve	fruits frais de saison.
• fruits séchés ordinaires	fruits séchés naturistes, non sulfurés ou chimifiés d'une façon ou d'une autre.
• noix ordinaires	noix naturistes, non salées.
• pain, blanc ou brun ordinaire	pain naturiste de farine entière moulue sur pierre.
• céréales du commerce	céréales naturistes.
• farines et pâtes alimentaires ordinaires	farines et pâtes alimentaires naturistes (macaronis, spaghettis et nouilles naturistes).
• gâteaux, biscuits, tartes ordinaires	à l'occasion, pâtisseries naturistes faites d'ingrédients sains.

- sucre blanc, cassonade ordinaire — sucre brut naturiste, sucre Turpinado.

- confitures, mélasse ordinaire — confitures naturistes; mélasse de la Barbade.

- miel ordinaire pasteurisé — miel non pasteurisé produit par des abeilles saines nourries avec leur miel.

- margarine ordinaire — margarine de soya naturiste, beurre de lécithine, beurre de soya, beurre de noix.

- huiles ordinaires — huiles naturistes de premières pression à froid, non hydrogénées, non colorées. Il faut éviter de faire chauffer ces huiles, car alors elles deviennent nocives.

- mayonnaise ordinaire — mayonnaise naturiste.

- fromage ordinaire — fromage cottage maigre, fromage gruyère en meule et non en pointe.

- yogourt ordinaire — yogourt maigre. On peut le sucrer au miel naturiste.

- thé et café ordinaires — tisanes, thé et café naturistes.

- sel ordinaire — sel de mer ou sel végétal.

- épices et assaisonnements ordinaires — aromates, condiments et assaisonnements naturistes.

- vinaigre ordinaire   vinaigre de cidre naturiste.

- gélatines ordinaires   agar-agar, gélatine d'algues marines.

Quelques conseils

- **La viande**
  — un repas de viande par deux jours pour les gens sédentaires jusqu'à un par jour pour les sportifs ou les travailleurs de force;
  — jamais de porc, c'est une viande très acidifiante;
  — jamais de saucisse, saucissons et autres dérivés gras et épicés;
  — les meilleures viandes dans l'ordre sont: le poisson (sauf les fruits de mer et les sardines), la dinde, le poulet (pas la peau), le boeuf maigre et l'agneau.

- **L'eau**
  — L'eau distillée est la plus pure qui soit et elle contribue à éliminer les toxines. À défaut de celle-ci, on peut prendre une bonne eau de source.

- **Les produits laitiers**
  — Les fromages maigres: Ricotta et cottage, 4% de gras alors que les fromages courants en ont 35% environ. Le yogourt sans sucre et préservatifs favorise une flore intestinale riche, on lui ajoute des fruits frais et des noix.

- **Les fruits et les légumes**
  — Les verts foncés ou les jaunes fournissent plus de vitamines, surtout si on les consomme crus. Il faut manger six fruits frais par jour en plus de trois ou quatres portions de légumes servis au repas.

- **Les féculents, céréales, autres aliments**
  — Tout ce qui provient d'un magasin d'aliments naturels est plus sain et plus complet. Les super-marchés n'offrent que de pâles imitations chimifiées et dévitalisées.

- **Les jus**
  — Trois (3) verres de jus de six (6) onces fait à l'extracteur à chaque jour (pommes et carottes). À défaut de ceux-ci, boire des jus purs que l'on retrouve dans les magasins d'aliments naturels. On peut s'en préparer 48 heures à l'avance, en y ajoutant quelques gouttes de jus de citron.

- **Il faut éviter**
  — Sucre, chocolats, confiseries, pâtisseries couran-tes, confitures au sucre blanc, desserts à base de sucre. Au Québec, chaque citoyen consomme de 100 à 125 livres de sucre par année! La maladie y fait des ravages aussi!
  — Gras animal, épices et condiments;
  — Alcool, thé, café, tabac, boissons gazeuses;
  — Aliments acidifiants: oranges, citron, pamplemous-se, vinaigre, ketchup, eaux gazeuses, tomates, ana-nas... Voir liste complète plus loin.

Menu de santé

Ce n'est pas tout de manger des aliments naturels de bonne qualité, il faut aussi savoir les combiner. En effet, la digestion d'un aliment parfaitement sain peut être ralentie ou même déréglée par la présence, au même repas, d'un autre aliment, tout aussi sain mais qui a des besoins digestifs différents du premier.

Le menu de santé naturiste qui suit permettra au lecteur de réaliser les combinaisons alimentaires les plus efficaces tout en apportant à son organisme la gamme complète des éléments nutritionnels requis. Ce menu, mis au point avec la collaboration de naturopathes qualifiées et membres du Collège des Naturopathes du Québec, constitue en fait le plan quotidien d'alimentation le plus complet jamais préparé. Il a de plus fait l'objet d'une longue expérimentation et il s'est avéré d'une grande efficacité. Enfin, avec l'aide de bons livres de recettes naturistes ou végétariennes, il peut être adapté à tous les goûts et à tous les besoins.

Déjeuner

Au lever:
2 c. à thé de miel naturel.

Mangez surtout des fruits frais et mûrs.

Par exemple: Bananes, pommes, poires, pêches, prunes, cerises, nectarines, ananas, grenades, mandarines, fraises, framboises, bleuets, melons, raisins frais: rouges, jaunes, verts, bleus, ou atocas, gadelles, groseilles, etc.

Jus de fruits: Préparés à l'extracteur, ou jus de fruits vendus dans les magasins d'aliments naturels: pomme, prune, raisin, framboise, fraise, cassis, mûre, abricot, canneberge, cerise noire, grenade, groseille, ronce, etc.

À moins de contre-indication: 2 ou 3 oranges par semaine (sans la pelure mais avec la pulpe, pas le jus seulement).

Ajouter du yogourt nature ou du fromage cottage maigre en bonne quantité.

Vous pouvez aussi manger pour déjeuner l'un ou l'autre des menus suivants:

a) Fruits sucrés, séchés ou trempés: abricots, figues, dattes, bananes, pêches, poires, pommes, pruneaux, raisins. Gelées ou compotes de fruits (peu sucrées au sucre naturel).

b) Noix naturelles (petite quantité): amande, noisette, pignon, noix du Brésil, pacane, aveline, gland, noix de Grenoble, graines de sésame, tournesol, citrouille.

c) 2 rôties de pain entier avec beurre naturiste ou beurre ordinaire, au choix (sauf si contre-indication pour ce dernier).

d) Céréale naturiste sans sucre. Y ajouter fruits frais coupés en petits morceaux avec lait ou lait de soya.

e) Un ou deux oeufs cuits à votre goût mais sans friture, avec une ou deux rôties de pain entier et beurre naturiste ou beurre ordinaire au choix (sauf si contre-indication pour ce dernier). Pas plus de quatre oeufs par semaine.

Breuvage accompagnant votre déjeuner:

a) Tisane (celle qui vous est recommandée ou au choix).

b) Café naturiste.

c) Verre de lait de soya ou poudre de caroube ou verre de lait si non contre-indiqué.

Dîner

15 minutes avant le repas: JUS DE LÉGUMES FRAIS.

Par exemple:

Carottes (3 oz), céleri (2 oz), pomme (1 oz).

Carottes, céleri, choux.

Carottes, céleri, piment vert.

Tout autre jus de légumes au choix (sauf épinards).

Bien insaliver et boire lentement.

Mangez de la viande saine ou du poisson frais ou congelé, bouilli ou au four.

Aiglefin, (haddock), éperlan, flétan, hareng, homard, maquereau, morue, saumon, sole, thon, truite, etc.

Steak grillé, au four, braisé, sans beurre ni margarine ou huile, mais saignant.

Rôti de boeuf dégraissé, ou boeuf dégraissé sous toutes ses formes (rosbif saignant, boeuf bouilli, etc.).

Côtelette ou gigot d'agneau dégraissé.

Dinde dégraissée. Ne pas manger la peau. Pas de poulet Bar-B-Q.

Veau dégraissé ou côtelettes.

Mouton dégraissé, lièvre dégraissé, ou protéines végétales équilibrées.

Jamais de porc, jambon, saucisse, boudin, charcuterie, abats.

Ne pas consommer de sauce ni de gras provenant d'animaux ou viandes frites.

Accompagnez la viande et le poisson d'une bonne **salade de légumes crus** au choix: laitue (vert foncé), cresson, tomate, concombre (sans pelure), céleri, persil, radis, cresson, pissenlit, chicorée, fenouil, etc. Assaisonner d'huile naturelle, vinaigre de cidre (peu), sel végétal ou sel de mer et aromates: laurier, sauge, thym, menthe, sariette, etc.

Si désiré parfois: légumes peu cuits et huile naturelle.

Si bien toléré, on peut manger 1 ou 2 tranches de pain naturel avec le repas de viande.

DESSERT:
Fruits frais, en particulier une pomme.
Compote de fruits (peu de sucre naturel).
Gélatine naturiste faite avec du jus de fruit et agar-agar.
Brioches, gâteaux ou muffins naturistes.
Tapioca naturiste, etc.
Tisane recommandée ou au choix ou café naturiste.

Souper

15 minutes avant le repas: JUS DE LÉGUMES FRAIS.

Si désiré:
Soupe-maison dégraissée, légumes croquants. Potage ou bouillon. Au moment de servir, on peut ajouter de l'huile naturelle.

Mangez surtout des salades de légumes crus.

Utilisez des légumes frais et de saison: laitue, carotte, céleri, tomate, concombre, persil, cresson, chou, olives noires, blé d'Inde frais, radis, ciboulette, piment vert, avocat, etc., avec de l'huile naturelle.

Si désiré et quelques fois par semaine:

Légumes variés très peu cuits à la vapeur ou purée de légumes au choix.

Pomme de terre au four avec pelure.

Carotte, betterave, aubergine, piment vert, oignon, céleri, fèves, asperge, chou-fleur, navet, brocoli, escarole, choux de Bruxelles, artichaut, panais, pois verts, courge, endives, persil, poireau, haricots.

Au moment de servir: sel végétal, sel de mer, aromates et huile vierge.

Variez souvent la composition de vos salades, ou plats de légumes.

Avec votre salade vous pourrez consommer:

1 ou 2 tranches de pain naturel (ou rôties) avec beurre de noix naturelles: sésame, amande, noix du Brésil, de Grenoble, noisette, pignon, pacane, aveline, etc. ou beurre habituel si non contre-indiqué.

Vous pouvez aussi manger pour souper l'un ou l'autre des menus suivants:

a) Servez un plat de riz brun (naturel): basconnaise, etc., orge, millet.

b) ou un plat de fèves de soya, de fèves de lima, de lentilles avec fines herbes, oignon, persil, et huile naturelle au moment de servir.

c) ou, pâtes alimentaires naturelles au four et huile au moment de servir.

Pâtes de soya, sarrasin, blé, artichaut, macaroni, nouilles, spaghetti, vermicelle, etc.

DESSERT:

Fruit nature, purée de fruits, compote ou salade de fruits frais.

Ou gélatine-maison, brioche, ou gâteaux naturistes, muffins (farine et ingrédients naturels).

Tisane recommandée ou au choix, ou café naturiste.

Dans la soirée:

Tisane recommandée.

Au coucher:

2 c. à thé de miel, bien insalivé.

ou:

2 c. à thé de mélasse de Barbade dans une tasse d'eau chaude. Bien insaliver.

Importance de la mastication

Il existe plusieurs conditions pouvant assurer une meilleure digestion de nos aliments, la façon de les combiner, leur quantité, l'état d'esprit dans lequel on les consomme sont autant d'éléments qui peuvent influencer la bonne digestion. Mais il en existe une plus fondamentale encore, c'est la mastication

Le meilleur aliment du monde ne saurait être bien digéré et assimilé s'il n'est d'abord bien mastiqué. On a là la toute première condition d'une bonne utilisation des aliments.

La mastication est bien plus qu'une simple opération de broyage des aliments. elle contribue chimiquement à la digestion des aliments grâce aux enzymes qui se trouvent dans la salive. Or pour qu'un aliment puisse être correctement imbibé de salive, il faut qu'il soit bien mastiqué.

Pour bien réaliser l'importance de la mastication des aliments, il faut connaître un peu la physiologie digestive. Lorsque nous consommons un aliment, celui-ci se retrouve éventuellement dans l'estomac. Dépendamment des constitutants alimentaires que cet aliment contient (protéines, hydrates de carbone ou lipides), sa digestion peut se faire en bonne partie dans l'estomac ou l'intestin, ou les deux à la fois. Dans l'estomac, les aliments subissent un brassage mécanique qui leur permet d'être mélangés intimement aux sucs gastriques. À leur tour, ces derniers transforment les aliments en d'autres substances par un processus chimique.

Si les aliments n'ont pas été correctement mastiqués, ils sont avalés en morceaux relativement gros. Il est alors très difficle pour les sucs gastriques de bien transformer de tels morceaux d'aliments trop gros. Il s'ensuit une digestion lente et plus ou moins pénible.

Dans le cas des aliments qui contiennent des féculents (pain, céréales, pâtes alimentaires, etc.), leur digestion débute carrément au niveau de la bouche. En effet, on trouve dans la salive un enzyme, la ptyaline, qui entreprend chimiquement la transformation de l'amidon. Lorsqu'on avale rapidement de tels aliments, la ptyaline de la salive ne peut pas se mélanger suffisamment à l'amidon. La première partie de la digestion des féculents est donc ratée. Les autres étapes de cette digestion ne peuvent plus s'accomplir normalement.

Idéalement, on devrait mâcher chaque bouchée d'aliments une trentaine de fois. Au début, pour acquérir cette habitude, il est recommandé de compter chaque coup de mâchoire. Par la suite, la mastication complète se fait automatiquement. Les aliments sont avalés uniquement lorsqu'au niveau de la bouche on ressent cette impression nous indiquant qu'ils sont pratiquement liquifiés.

Il est à noter ici que même les aliments liquides doivent être mastiqués. Il faut les retenir un certain temps dans la bouche avant de les avaler. De cette façon, il peuvent également être imprégnés d'une certaine quantité de salive.

On peut dire sans trop risquer de se tromper que la bonne mastication compte pour 50% de la digestion totale. Toutes les personnes qui digèrent mal ou qui veulent améliorer leur digestion, devraient donc commencer par mastiquer davantage leurs aliments. C'est l'une des bonnes habitudes alimentaires à acquérir.

L'extracteur à jus

L'une des excellentes façons de tirer pleinement profit des vertus nutritives des fruits et des légumes frais est de consommer ces derniers sous forme de jus fraîchement obtenus à l'aide d'un extracteur.

Certains pourront prétendre qu'il est plus naturel de consommer directement les fruits et les légumes tels quels. On oublie alors trois réalités bien spécifiques.

Il faut dire d'abord que les jus de fruits et de légumes frais sont beaucoup plus faciles à digérer que les fruits et les légumes eux-mêmes. Le tube digestif n'a pratiquement aucun effort à faire pour les assimiler. Leur digestion est réduite à sa plus simple expression. Si on a la sagesse de prendre les jus au bon moment, c'est-à-dire une trentaine de minutes avant les repas, leur digestion ne pose aucun problème, même dans le cas des digestions les plus lentes.

En second lieu, les jus présentent l'avantage de fournir à l'organisme beaucoup d'éléments nutritifs sous un faible volume. On peut en effet trouver dans un verre de jus de carottes l'équivalent de quatre ou cinq carottes. S'il fallait manger ces carottes, le tube digestif pourrait s'en trouver encombré. On ne pourrait certainement pas manger autre chose une demie heure plus tard comme on peut le faire facilement après avoir pris un verre de jus de carotte. Pour les gens carencés qui ont besoin de trouver dans leurs aliments beaucoup d'éléments nutritifs sous un faible volume, les jus constituent l'idéal. On peut d'ailleurs en dire autant dans le cas des gens dont la capacité digestive est réduite. Les personnes âgées se trouvent souvent dans ce cas. Les jus leur conviennent donc parfaitement bien.

En troisième lieu, les jus permettent de consommer beaucoup de crudités, ce qui n'est pas le cas lorsqu'on consomme notamment des légumes complets. On peut en effet très bien utiliser par exemple la betterave ou le navet dans un jus. Pourtant ces deux légumes ne se mangent pratiquement jamais crus. Or on sait que la cuisson détruit une partie de leurs éléments nutritifs. C'est là un autre avantage des jus.

On devrait normalement boire au moins un verre de huit onces de jus par jour. On doit boire nos jus, tel que précisé plus haut, une trentaine de minutes avant le repas. On sait en effet que les jus ne subissent pratiquement pas de digestion stomacale. Ils se digèrent essentiellement dans l'intestin. En les consommant de cette façon, ils ne peuvent pas nuire à la digestion des autres aliments.

Les jus doivent être bus immédiatement après leur extraction. On évite ainsi l'oxydation d'une partie des vitamines qu'ils contiennent et on en tire le plus grand profit. Il faut varier leur composition et il n'y a aucun inconvénient à mélanger les fruits et les légumes dans un même jus.

Les aliments acidifiants

La plus grande partie de nos maladies d'intoxication (irritation de la peau, engorgement fréquent des voies respiratoires...) provient d'un taux d'acidité interne trop élevé. Le taux d'acidité des Québécois est particulièrement élevé parce que :

— la période d'ensoleillement ne dépasse pas quatre (4) mois par année (le soleil est un puissant agent anti-acide);

— les Québécois consomment :

- trop de sucre : en moyenne 120 livres par personne par année;

- trop de viande, principalement le porc et ses dérivés tels que saucissons, tourtières, bacon...;

- trop de café, de thé, d'eaux gazeuses, et de boissons alcooliques;

- trop de gras et de fritures (croustilles, frites...);

- trop d'aliments dévitalisés et chimifiés.

La personne désireuse de réduire son taux d'acidité doit donc modifier son apport alimentaire selon la liste qui suit :

Réduisez la consommation de ces aliments acides ou acidifiants :

- Les fruits amers : tomate, orange, citron, pamplemousse, ananas, kiwi, rhubarbe, grenade...

- Le ketchup, relish, vinaigre, moutarde, vinaigrettes.

- Les viandes en général, les abats (foie, rognons...) et le porc plus particulièrement.

- Les eaux gazeuses, café, thé, cacao.

- Les sucreries sous toutes leurs formes: glaçage, jello, biscuits, tablettes de chocolat, crème glacée, pâtisseries françaises, sucre à la crème, tartes au sucre, aux pacanes, etc..
- Les farines et céréales blanchies, le blanc d'oeuf.
- Les haricots secs, lentilles sèches, noix et arachides (sauf amandes).

**Augmentez la consommation
de ces aliments anti-acides:**

- Les fruits doux: bananes, dattes, figues, fruits séchés, pommes, poires, pêches douces et autres fruits doux.
- Les légumes doux et pauvres en amidon: choux, courges, avocados, betteraves, navets, panais, artichauts, pois verts, épinards, haricots jeunes, céleri, carottes jeunes, oignons, tomates douces et jeunes, pommes de terre.
- Le lait et les produits laitiers à faible teneur en gras.
- Les farines complètes (blé entier).
- Le jaune d'oeuf.
- Les amandes.

On peut se laisser aller à quelques écarts de temps à autre, sans remords. L'important est d'appliquer 80% des recommandations naturistes et de s'accorder 20% d'écarts si notre état de santé le permet. Une vie saine doit aussi être agréable. Il ne faut pas être fanatique.

LES CARENCES NUTRITIONNELLES

Il existe deux (2) grandes catégories de signes pouvant indiquer un état de santé déficient. La première catégorie est celle des signes témoignant une carence quelconque sur le plan nutritionnel. La deuxième catégorie est celle des signes dénotant une intoxication ou un encrassement de certains tissus de l'organisme.

Il est évident que certains signes démontrent clairement la maladie. Lorsqu'une personne, par exemple, connaît de graves difficultés respiratoires, elle n'a pas à s'interroger longuement sur le sens de cette manifestation. Il est clair que son état nécessite des soins immédiats et particuliers. Il en va de même dans le cas des douleurs vives à un endroit ou à un autre du corps. Mais certains petits malaises qui sont des signes avant-coureurs de la maladie, sont souvent très mal interprétés. Ils sont pourtant significatifs et ils peuvent nous permettre, lorsqu'on y apporte les correctifs adéquats, d'éviter de sérieux troubles éventuels de santé.

Vous voulez savoir si vous souffrez de carences en vitamines ou en minéraux. Les tableaux qui suivent vous le montreront facilement. Ils vous indiquent d'abord le symptôme de votre carence et ensuite ils vous indiquent les aliments les mieux appropriés pour y remédier.

Il se peut que vous soyez dans l'impossibilité de consommer en quantité suffisante les aliments nécessaires à l'alimentation de vos carences. Dans ce cas, n'hésitez pas à vous procurer sous forme de suppléments alimentaires de source naturelle les vitamines et minéraux qui vous manquent. Vous les retrouverez dans les bons magasins d'aliments naturels.

Les vitamines

Vitamine A

Les symptômes de déficience

Pierres (reins et rate), peau sèche, retard de croissance, peu de résistance à l'infection, troubles de sinus, cataracte, manque d'énergie, stérilité possible, manque d'appétit, troubles digestifs, diarrhée, troubles occulaires, abcès de l'oreille, troubles de dents.

Aliments suggérés

Escarole, persil, carotte, piment, panais, épinards, patate douce, melon d'eau, asperges, haricot, betterave, artichaut, brocoli, céleri, chou, cantaloupe, maïs, pissenlit, endive, avocado, poivron, pois, laitue, citrouille, tomate, abricot, cerise, prune, pêche, framboise.

●

Vitamine B

Les symptômes de déficience

Fatigue constante, désordres gastriques, nervosité, manque d'appétit, mauvaise action péristaltique, pouls lent, lassitude, manque de vitalité, mauvaise lactation, dégénérescence nerveuse.

Aliments suggérés

Asperges, avocado, laitue, céleri, carotte, brocoli, haricots, mélasse, ananas, orange, pamplemousse, banane, melon, tomate, rutabaga, radis, poivron, pissenlit, choufleur, chou, betterave, prune, poire, citron, cantaloupe, pomme, panais, patate douce, pomme de terre, persil, épinards.

●

Vitamine C

Symptôme de déficience

Mauvaise digestion, articulations molles, scorbut, nervosité, mauvaise digestion, bas taux d'hémoglobine, mauvaise lactation, mauvaises dents, anémie secondaire, maux de tête, pouls rapide, faiblesse, souffle court, faible résistance à l'infection.

Aliments suggérés

Melon d'eau, fraise, framboise, orange, lime, citron, cantaloupe, cresson, panais, tomate, rutabaga, poivron, piment, pois verts, persil, chou, haricot, carotte, concombre, laitue, pomme de terre, épinards, pomme, banane, pelure d'orange, pêche, courge jaune, asperge, céleri, oseille, oignon, radis, panais blanc, abricot, cerise, ananas.

Vitamine D

Symptômes de déficience

Nervosité, manque d'énergie, jambes arquées, bedon, constipation, mauvaise formation des dents, mauvaise formation des os, manque de calcium et de phosphore dans l'organisme, rachitisme, convulsions, articulation enflées, déviation de la colonne, mauvaise croissance.

Source de vitamine D

Les plantes ne contiennent à peu près pas de vitamine D. Il faut donc prendre du soleil. En hiver, ajouter à vos jus de l'huile de foie de morue. N'en prenez pas trop cependant car l'excès est toxique.

●

Vitamine E

Symptômes de déficience

Frigidité, impuissance, troubles de grossesses, facultés affaiblies, stérilité, perte des cheveux, fausse-couche, mauvaise lactation.

Aliments suggérés

Épinards, laitue, persil, huile de germe de blé.

●

Vitamine K

Symptômes de déficience

Coagulation trop lente du sang.

Aliments suggérés

Épinards, oseille.

Les minéraux

L'organisme n'a pas besoin que de vitamines. Les minéraux lui sont également fort utiles. On en connaît plus de vingt dont au moins quinze sont essentiels. Bien sûr, le fer et le calcium sont les mieux connus mais les autres n'en sont pas moins importants.

Ces minéraux sont contenus dans l'organisme en très petite quantité mais ils sont tellement essentiels que si, par exemple, le calcium vient à manquer, c'est le coeur qui fonctionnera anormalement. Il pourra même s'arrêter complètement.

Un autre exemple: l'iode. Il y en a si peu dans l'organisme qu'il couvrirait à peine une tête d'épingle. Pourtant, c'est lui qui fait toute la différence entre une personne dont l'intelligence est bien développée et dont la croissance est normale et une personne rachitique et stupide.

Il faut donc vous assurer que votre alimentation soit riche en minéraux de toutes sortes. Toutefois, il est très important que ces minéraux soient organiques, c'est-à-dire préalablement digérés par une plante ou par un animal si l'on veut qu'ils soient efficacement assimilés. On les retrouve dans certains aliments ou dans des suppléments alimentaires disponibles dans les magasins d'aliments naturels. Les minéraux inorganiques intoxiquent sérieusement l'organisme. Il faut les éviter à tout prix.

Les tableaux qui suivent vous indiquent les minéraux les plus importants et les jus de fruits et de légumes qui peuvent vous les fournir.

Le fer

Symptômes de la déficience en fer

Pressions sur l'estomac, mauvaise vue la nuit, mauvais équilibre, mauvais caractère, envies de dormir, insomnies, vessie faible, tumeurs utérines, constriction des muscles cardiaques, serrements de tête, gaz, respiration douloureuse, pulsations dans le bout des doigts, démangeaisons intolérables, pieds et mains froids, tremblements des membres inférieurs, douleurs menstruelles, foie et abdomen mous, toux sèche, gorge sèche, faiblesse des muscles du rectum, aliments partiellement digérés, surdité partielle, nervosité, hystérie, nerfs fatigués, douleurs aux articulations de l'épaule, inflammations et douleurs des yeux, pellicule devant les yeux, mouiller son lit, respiration oppressée, chevilles enflées, brûlures de la plante des pieds, suffocation, brûlures faciales, besoin de toniques, organes génitaux tendus, asthme, anémie, crainte de perdre la raison, fatigue pendant la lecture, pleurs incontrôlables, le visage rouge et pâle alternativement, tendances aux rhumes de cerveau, palpitations cardiaques

Les jus recommandés

Artichaut, oseille, raisin, betterave, pissenlit, cerise, fraise, raisin sec, épinards, prunes, poire, asperges, laitue, mûres, poireau, radis noirs, choux de Bruxelles.

Le calcium

Symptômes de la déficience en calcium

Formation de pus, catarrhe, convalescence ralentie, ligaments mous, blessures qui ne guérissent pas, salivation épaisse, lenteur de la marche, kystes, un membre plus court que l'autre, cicatrices affreuses, difformités, os mous, tremblements, hémorragies, mauvaise odeur corporelle, sensation de froid dans l'épine dorsale, varices, palpitation, étourdissement au grand air, maux de tête l'après-midi, sensible à l'humidité, mauvaise circulation du sang, douleurs aiguës dans les organes génitaux, discours incohérent, manque de courage, volonté faible, pessimisme, méfiance, crainte, songes éveillés, soupirs, ennui, difficulté à penser

Les jus recommandés

Oseille, chou-fleur, fèves de Lima, choucroute, carottes, céleri, radis, pêche, concombre, asperges, prune, laitue, raisin, épinards, rhubarbe, orange, oignon, lime, citron, poivron, chou, panais.

Le phosphore

Symptômes de la déficience en phosphore

Mauvais contrôle des mains et des bras, paralysie, neurasthénie, difficultés dans l'apprentissage de la marche, températures variables du corps, bras et jambes émaciés, jaunisse, bronchite, peu de stimulation sexuelle, insensibilisation à la douleur, prostration, la crainte de l'avenir, durcissement de la cire d'oreilles, le sentiment que quelque chose ne va pas, haine du travail, visage pâle, impuissance, névralgie

Les jus recommandés

Concombre, persil, cresson, citrouille, champignon, raisin sec, courge, carotte, raisin, chou, pois, maïs, chou rouge.

Le silicium

Symptômes de la déficience en silicium

Ongles cassés, aucune ambition pour le travail intellectuel, démangeaisons aux oreilles, dents sensibles au froid, «endormitoires» durant l'après-midi, cuisses douloureuses, pertes de connaissance, douleurs à la poitrine et à l'abdomen, peau du visage jaune, gencives molles, douleurs dans la prostate, pouls rapide et bref, froid au côté gauche du corps, étourdissements, foie enflé, troubles ovariens, polypes, cheveux ternes, lèvres gercées, maux de tête, démangeaisons dans la plante des pieds, transpiration excessive, rhumatismes, impuissance, fatigue nerveuse, dépendance de la drogue, douleurs dans les organes génitaux, brûlures au bout des doigts, faiblesse des membres inférieurs, urination fréquente, neurasthénie, toux, fièvre des foins, tuberculose, tumeurs

Les jus recommandés

Radis, concombre, chou, pissenlit, asperges, olives, oignon blanc, fraise, laitue, figues.

Le chlore

Symptômes de la déficience en chlore

Maux de tête, formation de mucus dans la gorge, troubles cardiaques, troubles de la vessie, membres lourds, prostration, pyorrhée, surdité, faim insatiable, salive et urine remplies de sang, digestion lente des sucres, brûlures dans les reins, douleurs rhumatismales dans les muscles, anxiété, bouche en feu, constipation, douleurs dans les os, tremblement de la lèvre supérieure, tensions dans l'estomac, lèvres bleues, rougeurs dans les extrémités

Les jus recommandés

Oseille, choucroute, tomate, olives mûres, épinards, radis, laitue, concombre, chou, céleri, carotte, asperges.

L'iode

Symptômes de la déficience en iode

Goût de gras dans la bouche, déteste l'humidité, mollesse des membres inférieurs, faim insatiable, pouls alternativement rapide et lent, enflure des glandes, prostration, préférence à se tenir debout, enflure des pieds ou des orteils, engourdissement des doigts et des mains, respiration courte, salive douce et putride, alternativement, douleurs névralgiques au coeur, douleurs névralgiques au col de l'utérus, palpitations dans les artères, le coeur, l'estomac et la tête oppressés, esprit lent, peau pâle, sèche, écaillante, enflure de la gorge, du goître,

Les jus recommandés

Choux de Bruxelles, asperges, cresson, tomate, fraise, chou, chou rouge, oseille, laitue, céleri, brocoli, oignon blanc, pelure de pomme de terre, avocado, ananas, poire, champignon, laitue, ail, carotte, artichaut.

Le manganèse

Symptômes de la déficience en manganèse

Démangeaisons pendant et après la transpiration, faiblesse des muscles du rectum, les os qui craquent, enflure des glandes, pertes de connaissance, respiration difficile, sentiments désagréables, fonctions du goût troublées, cerveau rapetissé, visage chaud, équilibre troublé, goût gras dans la bouche, vents dans l'abdomen, raideur des bras, insensibilité temporaire des membres inférieurs, enflure des ovaires, contractions de l'estomac qui ne retient pas les aliments, palpitations, douleurs névralgiques transpiration abondante, démangeaisons derrière le genou, catarrhe sec, goutte

Les jus recommandés

Haricots, gland, feuille de menthe, persil, noix, amandes, nasturtium, endive, cresson, ciboulette.

Le sodium

Symptômes de la déficience en sodium

Changement de couleur de l'urine, glandes salivaires sèches, durcissement des artères, ulcères d'estomac, crampes, soubresauts de la paupière, sciatique, visage brûlant, crainte des courants d'air, catarrhe du nez, mauvais odorat, asthme, perte des cheveux, maux de tête, constipation, crainte, nerfs irrités, catarrhe des poumons, tendance aux irruptions de la peau, mauvaise haleine, mauvaise digestion des gras, des sucres et des féculents, accès de colère, catarrhe de la gorge, mélancolie, dépression, étourdissements, accès d'hystérie, confusion de l'esprit, acidité de l'estomac, irritabilité, gaz dans l'estomac, troubles cardiaques, pieds froids, peau sèche, langue sèche, rhumatisme

Les jus recommandés

Panais, radis, prune, concombre, betterave, asperges, pomme, fraise, épinards.

Le potassium

Symptômes de la déficience en potassium

Rétricissement des valves cardiaques, estomac tombant, maladies organiques du coeur, crampes, ligaments faibles et tombants, faiblesse des muscles utérins, déplacement de la matrice, hydropisie, neurasthénie, troubles rénaux, troubles du foie, insomnie, Diabète, testicules enflés, ovaires enflés, une oreille rouge, l'autre blanche, le désir d'aliments surs, le désir d'eau froide, constriction de l'urètre, crampes au coeur, nervosité pendant la nuit, douleurs au bas de la tête en arrière de la tête, douleurs aiguës dans l'oreille gauche, sensation de sable dans l'oeil, mauvaise digestion des sucres, mauvais fonctionnement des intestins, démangeaisons autour des cicatrices, pyorrhée.,saignements de nez, douleurs au côté, eczéma sur les jambes, peau sèche, muscles atrophiés, transpiration abondante, gorge sèche, goût amer dans la bouche, nausées, coeur faible

Les jus recommandés

Asperges, brocoli, oseille, chicorée, cresson, tomate jaune, cerises noires, panais, céleri, rhubarbe, poireau, poivrons verts, raisin, choux de Bruxelles, artichaut, carotte, ananas, épinards, persil, feuille de menthe, laitue, endive, noix de coco, chou, bleuet, betterave, pissenlit.

Le magnésium

Symptômes de la déficience en magnésium

Allergie à la laine, sang trop chaud, jaunisse, pouces faibles, urine pâle, névralgie, diarrhée, sensation de tomber, sensation de froid au lit, yeux et doigts nerveux, sensation de brûlure dans la bouche, transpiration huileuse, faiblesse des muscles abdominaux, durcissement du foie, expectorations jaunes, douleurs dans le cou et les épaules, goût de terre dans la bouche, maux de dents, passion, crainte, choléra, péritonite, pertes de connaissance, troubles nerveux, constipation, silhouette émaciée, peau maladive, intestins enflés

Les jus recommandés

Poire, pêche, maïs, cerise, chou, raisin, pomme, laitue, pissenlit, épinards, prune, lime, tangerine, pamplemousse

Le fluor organique

Symptômes de la déficience en fluor organique

Catarrhe glandulaire, processus de dégénérescence, paralysie, tumeurs des os, tendance à la diphtérie, mauvaise vue, crampes dans les jambes, langue foncée, sang plus noir que d'habitude, yeux exorbités, nez rouge et enflé, troubles de l'ouïe, gencives saignantes, sensation de pourriture dans la bouche, lèvres, cou et yeux enflés, maladies des ongles, des sourcils, aversion de la noirceur, pigmentation huileuse, sale, rhumatismes dans les os, obésité, dilatation des vaisseaux sanguins, formation de pus, déviations de l'épine dorsale, utérus élargi, stérilité, sclérose, excroissances dans les oreilles, catarrhe de l'urètre, tumeurs dans les organes internes, pierres sur les reins, tumeurs dans le foie, pourriture des os et des dents

Les jus recommandés

Avocado, cerfeuil, endive, cresson, épinards, choucroute, ail, chou-fleur, chou.

Le soufre

Symptômes de la déficience en soufre

Enflure du foie, de l'utérus, peau sèche, «Endormitoires», sensation de brûlure à l'abdomen, Transpiration sur la poitrine, la nuit, palpitations, brûlures aux pieds, nervosité, nausées causées par le lait, urine fétide et verte, salive fétide, brûlure à la gorge, enflure de l'abdomen, bout du nez rouge, gaz, indigestion, troubles du côlon, toubles de l'estomac, troubles de la gorge.

Les jus recommandés

Mûres, pomme de terre, raisin, concombre, cerise, asperge, pomme, rutabaga, radis, pêche, oignon, chou-fleur, cresson, panais, feuilles de panais, rhubarbe, capucines, marjolaine, poireau, endive, cerfeuil, choux de Bruxelles, épinards, orange, noix, figue, noix de coco, carotte, chou rouge.

Autres symptômes de carences nutritionnelles

Si vous pouvez répondre par oui à l'une ou l'autre des questions qui suivent, il est fort probable que vous manquiez de certains éléments essentiels. Après chacune des questions, le ou les éléments en cause sont indiqués.

1 — Avez-vous la peau sèche et rugueuse?
   - Vitamine A.

2 — Manques-vous d'appétit?
   - Complexe alimentaire riche en vitamine B.

3 — Vos blessures mettent-elles beaucoup de temps à guérir?
   - Vitamine C que l'on retrouve pour une plus grande efficacité dans un complexe alimentaire riche en vitamine C et en bioflavonoïdes.

4 — Saignez-vous parfois du nez ou vous faites-vous des ecchymoses facilement?
   - Rutine que l'on retrouve pour une plus grande efficacité dans un complexe alimentaire riche en vitamine C et en bioflavonoïdes.

5 — Votre sang tarde-t-il à coaguler normalement?
   - Vitamine K.

6 — Êtes-vous ébloui(e) par la lumière intense?
   - Vitamine A.

7 — Êtes-vous irritable?
   - Complexe alimentaire riche en vitamine B; calcium et magnésium.

8 — Souffrez-vous d'anémie sans qu'un supplément de fer ne parvienne à corriger cette situation?
   - Vitamine B_{12} que l'on retrouve pour une plus grande efficacité dans un complexe alimentaire riche en vitamine B.

9 — Manquez-vous de résistance aux infections et faites-vous des rhumes facilement?
  • Vitamine C que l'on retrouve pour une plus grande efficacité dans un complexe alimentaire riche en vitamine C et en bioflavonoïdes et vitamine A.

10 — Avez-vous de la difficulté à voir dans l'obscurité?
  • Vitamine A.

11 — Vos réflexes sont-ils amoindris?
  • Vitamine B_1 que l'on retrouve pour une plus grande efficacité dans un complexe alimentaire riche en vitamine B; potassium.

12 — Avez-vous des troubles osseux?
  • Vitamine D; calcium.

13 — Vos gencives saignent-elles?
  • Vitamine C que l'on retrouve pour une plus grande efficacité dans un complexe alimentaire riche en vitamine C et en bioflavonoïdes.

14 — Avez-vous des allergies?
  • Vitamine A.

15 — Êtes-vous fatigué(e) et avez-vous tendance à la dépression?
  • Vitamine B, que l'on retrouve dans un complexe alimentaire riche en vitamine B.

16 — Avez-vous la langue sensible ou douloureuse?
  • Vitamine B_2 que l'on retrouve pour une plus grande efficacité dans un complexe alimentaire riche en vitamine B.

17 — Êtes-vous trop maigre?
  • Vitamine F.

18 — Vos cheveux sont-ils très secs?
  • Vitamine E; iode.

19 — Êtes-vous faible musculairement?
- Vitamine C que l'on retrouve pour une plus grande efficacité dans le complexe alimentaire riche en vitamine C et en bioflavonoïdes; vitamine E.

20 — Vos cheveux blanchissent-ils prématurément?
- Acide folique et paba que l'on retrouve pour une plus grande efficacité dans le complexe alimentaire riche en vitamine B; chlorure de magnésium.

21 — Votre taux de cholestérol sanguin est-il trop élevé?
- Inositol que l'on retrouve pour une plus grande efficacité dans le complexe alimentaire riche en vitamine B.

22 — Êtes-vous atteint(e) de stérilité?
- Vitamine E.

23 — Êtes-vous fréquemment stressé(e)?
- Vitamine B, que l'on retrouve dans un complexe alimentaire riche en vitamine B.

24 — Avez-vous des palpitations cardiaques?
- Calcium et magnésium.

25 — Souffrez-vous d'anémie?
- Fer; vitamine C.

26 — Avez-vous perdu le sens du goûter?
- Zinc.

27 — Avez-vous souvent des crampes et des spasmes musculaires?
- Calcium et magnésium; vitamine D.

28 — Avez-vous des tremblements?
- Chlorure de magnésium.

29 — Souffrez-vous de nervosité accompagnée d'insomnie?
- Potassium.

30 — Vieillissez-vous prématurément?
  ● Sélénium; vitamine B_{15} (acide pangamique) que l'on retrouve pour une plus grande efficacité dans un complexe alimentaire riche en vitamine B.

31 — Votre coordination musculaire est-elle mauvaise?
  ● Manganèse.

32 — Souffrez-vous de carie dentaire?
  ● Calcium et magnésium.

33 — Votre teint est-il très pâle et vous sentez-vous continuellement fatigué(e)?
  ● Fer.

34 — Avez-vous un mauvais fonctionnement de la glande thyroïde; êtes-vous atteint(e) de goître?
  ● Iode.

35 — Êtes-vous parfois confus(e) mentalement?
  ● Chlorure de magnésium.

Habitudes de vie à l'origine de carences nutritionnelles

Certaines mauvaises habitudes de vie entraînent dans l'organisme des carences nutritionnelles. Voici quelques exemples à ce sujet, présentés sous forme de questions. Après chacune des questions, les carences sont indiquées.

36 — Faites-vous usage de boissons alcoolisées?
   • Vitamine A; complexe alimentaire riche en vitamine B; potassium; zinc.

37 — Fumez-vous?
   • Vitamine B_1, B_2, B_6 et acide folique que l'on retrouve pour une plus grande efficacité dans un complexe alimentaire riche en vitamine B; vitamine C que l'on retrouve pour une plus grande efficacité dans un complexe alimentaire riche en vitamine C et en bioflavonoïdes.

38 — Buvez-vous régulièrement du café?
   • Vitamine A; complexe alimentaire riche en vitamine B; fer; potassium.

39 — Prenez-vous des médicaments à base de cortisone?
   • Vitamine A; potassium; vitamine C que l'on retrouve pour une plus grande efficacité dans un complexe alimentaire en vitamine C et en bioflavonoïdes.

40 — Faites-vous usage d'huile minérale pour combattre la constipation?
   • Vitamines A, D, E, K.

41 — Prenez-vous la pilule anticonceptionnelle?
- Acide folique et vitamine B_6 que l'on retrouve pour une plus grande efficacité dans le complexe alimentaire riche en vitamine B; vitamine E; vitamine C que l'on retrouve pour une plus grande efficacité dans le complexe alimentaire riche en vitamine C.

42 — Prenez-vous des somnifères?
- Complexe alimentaire riche en vitamine B.

43 — Prenez-vous des antibiotiques?
- Vitamines A, K; vitamine B_{12} et acide folique que l'on retrouve pour une grande efficacité dans le complexe alimentaire riche en vitamine B; calcium, potassium, fer.

44 — Prenez-vous des analgésiques?
- Vitamine B_{12} et acide folique que l'on retrouve pour une plus grande efficacité dans le complexe alimentaire riche en vitamine B.

45 — Faites-vous régulièrement du stress?
- Complexe alimentaire riche en vitamine B; potassium; calcium.

46 — Consommez-vous du sucre blanc régulièrement?
- Complexe alimentaire riche en vitamine B; phosphore; potassium; calcium.

47 — Prenez-vous des diurétiques ou des antiacides?
- Complexe alimentaire riche en vitamine B; vitamine C que l'on retrouve pour une plus grande efficacité dans le complexe alimentaire riche en vitamine C et en bioflavonoïdes; fer, calcium; phosphore; silicium; chlore; iode; manganèse; sodium; potassium; magnésium; fluor organique; soufre.

48 — Êtes-vous exposé(e) aux rayons-X?
- Vitamine F; vitamine B_6 que l'on retrouve pour une plus grande efficacité dans le complexe alimentaire riche en vitamine B.

49 — Consommez-vous régulièrement des oeufs crus?
- Biotine que l'on retrouve pour une plus grande efficacité dans le complexe alimentaire riche en vitamine B.

50 — Faites-vous souvent de la fièvre?
- Vitamine C que l'on retrouve pour une plus grande efficacité dans le complexe alimentaire riche en vitamine C et en bioflavonoïdes.

L'INTOXICATION

Facteurs d'intoxication de l'organisme

Mauvaise qualité des aliments

Lorsque la digestion et l'élimination ralentissent, l'acitivité fonctionnelle de l'organisme tout entier est perturbée. Ceci amène un état appelé auto-intoxication ou auto-empoisonnement. La rétention de ces matières morbides dans l'organisme est la cause fondamentale de la plupart des désordres chroniques. Ainsi, les mets indigestes, riches en gras animaux, les viandes de charcuterie, le foie gras, les fritures, les ragoûts, les sauces, le lard, l'abus des féculents, particulièrement les pâtes alimentaires à base de farine raffinée (macaroni, pizza, spaghetti, etc), les pâtisseries trop riches, le café, le thé et l'alcool favorisent l'accumulation de résidus toxiques dans l'organisme.

Tous ces aliments dénaturés ont tendance à fermenter et à se putréfier dans les intestins. Les toxines qui en résultent, pénètrent à travers la muqueuse intestinale, passent dans le sang et le saturent de déchets qui engorgent les capillaires, provoquent des congestions douloureuses et conduisent à l'encrassement de l'organisme (toxémie).

L'intoxication médicamenteuse

Tous les médicaments, quels qu'ils soient, entraînent une intoxication de l'organisme. Ce sont des substances toxiques incompatibles avec le fonctionnement normal de nos organes et de nos tissus. Comme ils ont souvent des effets cumulatifs dans l'organisme, ils exercent des ravages considérables. De plus, on sait que leurs effets secondaires sont très fâcheux.

Mauvaises habitudes de vie

Pour refaire les réserves d'énergie nerveuse, il faut corriger le mode de vie. L'alimentation raffinée, dénaturée, chimifiée, la suralimentation, la vie sédentaire et inactive, le manque d'exercice physique, d'air pur et de soleil, les contraintes stressantes, les chocs, le surmenage, les excès dans le travail, les efforts exténuants pour obtenir la réussite sociale et matérielle, les soucis, la nervosité, l'abus des médicaments chimiques, l'air vicié, l'insuffisance d'oxygénation tendent à diminuer les combustions internes et l'élimination.

Surcharge alimentaire

Tous les excès qui portent atteinte à notre santé, sont une cause d'encrassement toxémique. Nous mangeons en trop grande quantité des aliments qui n'ont pas de valeur nutritive et qui, de plus, encrassent, surmènent et surchargent le tube digestif et l'organisme en entier.

La surcharge alimentaire constitue l'une des causes premières de l'encrassement de l'organisme. La plupart des gens mangent trop, mangent mal et exercent des occupations sédentaires qui ne fournissent pas une dose suffisante d'exercice physique pour justifier l'utilisation de cette grande quantité d'aliments. Ce surplus surcharge les organes de digestion et d'assimilation et encrasse l'organisme par des impuretés ou des poisons de toutes natures.

Signes d'intoxication

Voici maintenant quelques questions pouvant vous indiquer votre degré d'intoxication. Si vous répondez oui à l'une ou l'autre de ces questions, il ne fait pas de doute qu'une bonne cure de désintoxication vous est utile.

51 — Êtes-vous constipé(e)?

52 — Faites-vous souvent des rhumes et des grippes?

53 — Avez-vous des problèmes de sinus?

54 — Êtes-vous atteint(e) de bronchite ou d'autres troubles respiratoires?

55 — Avez-vous des raideurs articulaires?

56 — Avez-vous des douleurs rhumatismales?

57 — Avez-vous des allergies?

58 — Avez-vous des troubles de la peau?

59 — Avez-vous des nausées?

60 — Souffrez-vous d'inflammation des amygdales?

61 — Avez-vous des ulcères d'estomac?

62 — Faites-vous des laryngites?

63 — Avez-vous des tumeurs?

64 — Faites-vous de la goutte?

65 — Avez-vous des troubles de la vessie?

66 — Avez-vous des troubles de la prostate?

67 — Faites-vous de l'artériosclérose?

68 — Souffrez-vous parfois de bursite?

69 — Êtes-vous ennuyé(e) par divers problèmes d'inflammation?

70 — Avez-vous des douleurs musculaires?

Toute réponse affirmative à l'une ou l'autre de ces questions indique un état de toxémie et, du même coup, la nécessité d'une bonne désintoxication. L'organisme a besoin d'être débarrassé des substances indésirables qui y stagnent. Une fois que ces déchets auront été éliminés, bien des troubles de santé peuvent rentrer dans l'ordre parce qu'ils sont essentiellement reliés à la toxémie. La pureté tissulaire est donc une condition essentielle de guérison et de retour à la santé. Dans le même ordre d'idée, on peut dire également qu'une telle pureté est un élément essentiel dans la prévention d'une foule de maladies. C'est pour cette raison que les méthodes naturelles de santé mettent tellement l'accent sur le besoin de se désintoxiquer.

La cure de désintoxication

En quoi consiste la cure de désintoxication?

Cette cure se réalise d'abord par le repos qui permet de récupérer les énergie nerveuses de façon à pouvoir activer le travail des émonctoires. Il faut ensuite réduire de façon marquée l'apport alimentaire en mettant surtout l'accent sur la consommation de fruits et de légumes frais. Les jus sont excellents pour favoriser l'élimination des déchets.

Les émonctoires peuvent également être aidés dans leur travail de désintoxication par certaines plantes. Ces plantes sont celles qui agissent en débarrassant le sang des déchets et des toxines qui s'y trouvent. Les plantes suivantes ont une action dépurative: gentiane, sauge, bardane, salsepareille, bourdaine, saponaire, bourrache, réglisse, cascara-sagrada, etc... D'autres plantes, comme le boldo, l'épine-vinette, le pissenlit, l'artichaut, la menthe, la petite centaurée, la bourdaine, la guimauve, la mercuriale, etc., ainsi que des suppléments alimentaires tels que l'extrait de radis noir, le magnésium etc., facilient le décongestionnement du foie et permettent d'accélérer le processus de désintoxication.

De plus, un peu d'exercice physique est recommandé car celui-ci provoque la pleine activité des organes d'élimination, c'est-à-dire peau, poumons, foie, reins, intestins. Il augmente d'au moins 50% leur activité et assure la circulation du sang à travers tous les organes et les tissus du corps.

À quel moment se désintoxiquer ?

Tous ceux qui ont négligé leur santé depuis des années sans être gravement malades, mais qui ne se sentent pour autant jamais bien, ont besoin d'une telle cure. Il ne faut pas attendre d'être malade pour se soumettre à une cure de désintoxication. En dehors de son action directe, thérapeutique, cette cure est un facteur de rajeunissement et de longévité.

En outre, il est bon de décrasser son organisme à chaque fois que le besoin s'en fait sentir. Toutefois, certaines périodes de l'année conviennent particulièrement à la purification du système : après les abus alimentaires des Fêtes, soit vers la mi-janvier ; au début du printemps alors que la résistance de l'organisme est souvent diminuée ; à l'approche de l'automne, afin d'être plus résistant aux grippes et aux rhumes.

Les réactions de désintoxication

Il arrive très souvent aux gens qui réforment leur alimentation de connaître certaines réactions de désintoxication. Ces réactions se manifestent sous la forme de petits malaises (nausées, maux de tête, difficultés digestives, éruptions cutanées, etc.).

Ces petits malaises peuvent survenir lorsqu'on adopte une alimentation plus naturelle ou encore lorsqu'on prend des suppléments alimentaires dans le but d'accélérer le processus de désintoxication. Ce sont des malaises normaux qui témoignent des efforts que fait l'organisme pour s'adapter à cette nouvelle situation. Ils signifient parfois aussi que l'organisme élimine plus de déchets et qu'on assiste par conséquent à une sorte de nettoyage tissulaire.

On ne doit donc pas s'inquiéter d'une telle situation. Au contraire, il convient plutôt de s'en réjouir puisque la désintoxication est un phénomène très souhaitable. En effet, plusieurs maladies sont le résultat d'une intoxication de l'organisme. Se désintoxiquer est donc synonyme de prévention de la maladie.

Est-ce à dire qu'on doive ignorer totalement ces petits malaises reliés à ce phénomène de la désintoxication? Évidemment, non. Il faut les atténuer de façon à ce qu'ils ne nous rendent pas la vie trop désagréable. On y parvient en réduisant tout simplement la consommation de ces aliments ou de ces suppléments. Dans le cas de ces derniers, par exemple, il faut généralement couper leur consommation de moitié. Dans certains cas où les malaises sont particulièrement marqués, on pourra même réduire la dose des deux tiers.

Un exemple concret nous fera mieux comprendre la situation. La personne qui prend un supplément de boldo, d'artichaut et de pissenlit dans le but de régulariser le fonctionnement de sa vésicule biliaire (ces plantes ont en effet une action bénéfique sur le foie et la vésicule biliaire), peut dans certains cas faire des diarrhées. Il faudra donc réduire la consommation de ces plantes. Dans l'exemple utilisé ici, ces plantes se prennent sous forme de gouttes, généralement une quarantaine de gouttes par jour. On se limitera donc à 20 gouttes quotidiennement. Si la diarrhée est violente, on pourra même réduire sa consommation à une douzaine de gouttes par jour. De cette façon, la diarrhée disparaîtra et on pourra continuer de jouir des bienfaits de ces plantes.

Progressivement, au bout d'une semaine ou deux par exemple, on devra augmenter la quantité, pour atteindre éventuellement la dose normale suggérée. C'est la façon idéale de tirer pleinement profit des suppléments alimentaires et des plantes. Il faut toujours se rappeler que ces suppléments et ces plantes renferment des éléments vivants qui forcent l'organisme à réagir. C'est cette réaction qu'il faut contrôler afin d'en récolter les bénéfices.

LE CONDITIONNEMENT PHYSIQUE

L'exercice physique

La vie est mouvement. L'individu inactif viole l'une des lois fondamentales de la vie. Pour vivre en bonne santé, il faut donc faire de l'exercice physique régulièrement.

L'exercice peut être plus ou moins intensif selon les besoins de chacun. Pour certains qui jouissent d'une bonne santé, l'effort pourra être considérable. Pour d'autres, en moins bonne condition, l'exercice pourra se limiter à quelques minutes de marche chaque jour.

Le principe à respecter ici consiste à faire suffisamment d'exercice pour se bien sentir. L'exercice ne doit jamais épuiser l'individu; au contraire, il faut qu'il provoque une sensation de bien-être.

L'intensité de l'exercice doit être adaptée continuellement à l'amélioration que connaît celui qui s'y adonne. Dès qu'un effort donné devient trop facile, il convient de l'intensifier. De cette façon, l'amélioration est constante.

Toutes les formes d'exercices peuvent être utiles. Néanmoins, la plus salutaire est cette forme d'exercice qui provoque un certain degré d'essoufflement. On parle alors d'endurance ou d'exercice qui développe le système de transport de l'oxygène. La marche active, le jogging, la course à pied, le ski de fond, etc. sont autant de formes d'exercices qui favorisent l'amélioration de ce système. Ces exercices doivent se pratiquer dans des endroits où l'air est le plus pur possible. Les parcs où l'on trouve de la verdure conviennent bien à cet effet.

Quant à la marche qui constitue sans doute pour les lecteurs de cet ouvrage l'exercice le plus susceptible d'être choisi, elle doit être pratiquée sur une base très régulière. Au début, on pourra se contenter d'une marche d'une durée d'une dizaine de minutes. Par la suite, il faudra allonger cette durée pour en arriver éventuellement à la pratiquer sur une période de 45 minutes.

En même temps qu'on s'oriente vers cette durée de 45 minutes, il faut intensifier le rythme de la marche. En d'autres mots, il faut marcher de plus en plus rapidement. Pratiquée dans ces conditions, la marche devient un excellent exercice pour se tenir en forme.

Dans le cas des personnes âgées, la marche constitue sans aucun doute l'exercice idéal. Là encore, elle doit être pratiquée à tous les jours, pratiquement beau temps, mauvais temps. Il s'agit de se bien vêtir selon les circonstances. Même durant la saison froide, il est important de prendre sa marche tous les jours.

Pour les gens qui préfèrent s'adonner à des exercices d'intérieur, les deux formes d'exercices les plus recommandables sont le saut à la corde et la bicyclette stationnaire. On peut en tirer d'excellents résultats pourvu qu'on les pratique avec assiduité et de façon bien dosée.

Les exercices d'étirement

C'est un fait indéniable qu'on devient plus petit au fur et à mesure qu'on prend de l'âge. Ainsi, on est moins grand à cinquante ans qu'à vingt ans et moins grand encore à quatre-vingts ans qu'à cinquante ans. Que se passe-t-il donc? Deux phénomènes particuliers qu'on peut pourtant éviter dans une large mesure.

On assiste en premier lieu à une sorte de tassement vertébral. Les disques intervertébraux qui se situent entre chacune de nos vertèbres se compriment et s'aplatissent. L'individu rapetisse alors nécessairement. En plus de ce phénomène de tassement, la colonne vertébrale se courbe exagérément, ce qui réduit encore davantage la taille de l'individu.

Ces deux phénomènes qui font parti des signes du vieillissement, ne sont pourtant pas inévitables. Il est possible d'y échapper grâce à certains exercices particuliers. Ces exercices sont ceux qui impliquent l'élongation de la colonne vertébrale. Pratiquement parlant, ce sont les exercices d'étirement.

Il suffit donc de se suspendre par les mains à une barre et de conserver cette position le plus longtemps possible pour détasser les disques intervertébraux et redonner à la colonne vertébrale sa forme normale. Cet exercice n'est pas tellement facile au début. Il faut en effet acquérir une certaine force et une certaine endurance au niveau des mains et des avant-bras. Celle-ci s'obtient en répétant l'exercice et en tentant à chaque fois de tenir le plus longtemps possible.

Au début, on trouvera l'exercice particulièrement difficile pour les mains. Le fait de porter des gants pourra aider d'une certaine façon. On peut aussi se servir de lanière de cuir de façon à faire porter le poids du corps au niveau de l'articulation du poignet.

Pour tirer pleinement profit des exercices d'étirement à partir de la suspension par les mains, il faut faire, de préférence, plusieurs séances par jour. De cette façon, le détassement vertébral est plus complet puisque le temps d'étirement est nécessairement plus long.

Certains préconisent la suspension par les pieds. Cette méthode est plus difficile puisqu'elle exige certaines qualités acrobatiques. De plus, le fait d'avoir la tête en bas durant plusieurs minutes convient mal à certaines personnes. La suspension par les mains semble donc convenir davantage à la majorité des gens.

Dans le domaine des exercices d'étirement comme dans tous les autres, c'est la régularité qui donne encore les meilleurs résultats. Il faut trouver le moyen de se suspendre par les mains au moins trois fois par jour. Un tel exercice demande, en fait, peu de temps. Il apporte pourtant à l'organisme des bienfaits remarquables qui peuvent faire la différence entre un vieillissement prématuré et le fait de conserver une apparence jeune même à un âge avancé.

La tonification des muscles

Il faut le dire clairement: la santé radieuse n'est pas possible sans une bonne musculature. Nos muscles sont non seulement des organes de locomotion, mais également des organes de soutien pour nos viscères. Une bonne musculature abdominale permet, en effet, de bien maintenir en place d'importants organes. C'est ainsi que l'intestin peut être tenu au bon endroit et la constipation évitée.

Les gens qui ne sollicitent pas régulièrement leur système musculaire ne peuvent pas jouir d'une santé parfaite. Il faut nécessairement faire de l'exercice physique pour éviter la maladie et la dégénérescence prématurée. Ce principe est généralement accepté, mais on ignore encore trop souvent quel type d'exercice il faut surtout pratiquer.

Dans les pages qui suivent, il sera question de certaines méthodes simples d'exercices qui peuvent grandement contribuer à améliorer la santé. La première de ces méthodes porte sur la tonification des muscles abdominaux. Voici une série d'exercice qui, pratiqués chaque jour, donnent un ventre plat et bien musclé.

Exercice no 1.

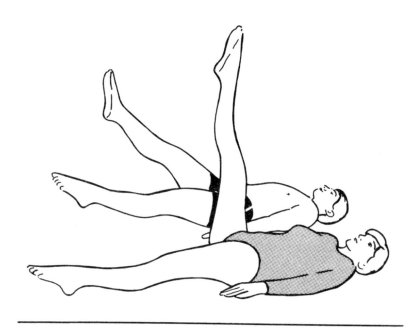

Couché au sol, levez alternativement les jambes tendues jusqu'à la verticale. Si cet exercice provoque des tensions au bas du dos, relevez la tête et fléchissez légèrement les genoux au cours de son exécution.

Exercice no 2.

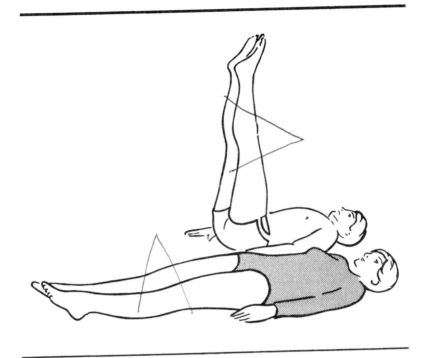

Couché sur le sol, levez simultanément les deux jambes jusqu'à la verticale. Si l'exercice engendre des tensions au bas du dos, appliquez la recommandation de l'exercice no 1. Pour augmenter la difficulté de cet exercice, on évitera de déposer les talons au sol en descendant.

Exercice no 3.

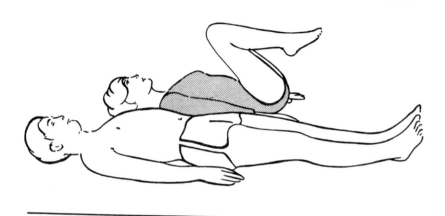

Couché sur le sol, fléchissez simultanément les deux jambes en ramenant les genoux sur la poitrine. Appliquez la recommandation donnée à l'exercice no 1 s'il y a tensions musculaires au bas du dos. On peut augmenter la difficulté de l'exercice en ne déposant pas les talons au sol lorsqu'on étend les jambes.

Exercice no 4.

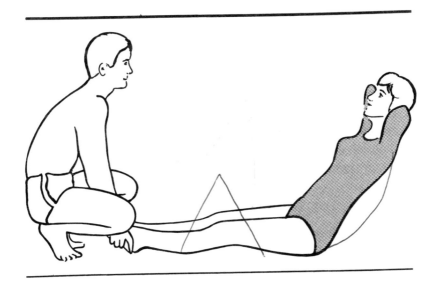

Couché au sol, les mains derrière la tête, redressez le coprs dans la position assise. On peut fixer les pieds sous un meuble ou demander à quelqu'un de nous tenir les pieds pour faciliter l'exercice. Encore une fois, si l'exercice provoque des tensions au bas du dos, il faut d'abord pencher la tête sur la poitrine avant d'entreprendre le redressement.

Exercice no 5.

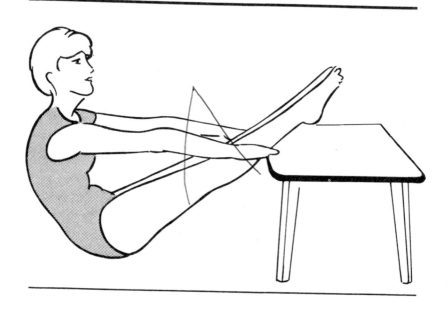

Dans la position indiquée sur l'illustration, relevez le tronc comme pour vous asseoir. Appliquez la même recommandation qu'à l'exercice précédent s'il y a tension au bas du dos. Cet exercice est une variante du précédent, mais il présente une difficulté plus grande.

Exercice no 6.

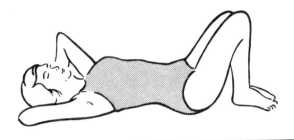

Couché sur le dos, mains jointes derrière la nuque, jambes fléchies, pieds à plat au sol, levez simultanément les épaules et le bassin en rapprochant les genoux de la tête. Revenez à la position de départ. Lorsque cet exercice est bien fait, le corps repose sur le milieux du dos, comme dans la position du berceau.

Ces six premiers exercices doivent se pratiquer à répétition. On peut commencer par une quinzaine de répétitions. Au fur et à mesure que l'exercice devient plus facile d'exécution, on augmentera progressivement le nombre de répétitions dans le but d'atteindre éventuellement 50 répétitions.

Exercices de musculation

Si la tonification des muscles du ventre est importante, celle des autres muscles squelettiques l'est tout autant. Les muscles sont en effet d'importants réservoirs d'oxygène et d'éléments énergétiques. Ils permettent d'acquérir le sens musculaire, c'est-à-dire une sensation tout-à-fait spéciale réservée aux personnes musclées. La beauté grecque devrait représenter l'idéal de chacun. Il y a plus de 2,000 ans, on savait qu'une âme saine nécessitait un corps sain et vigoureux. Voici donc quelques exercices destinés à faire travailler les principales masses musculaires du corps.

Exercice no 7.

Debout, la barre tenue devant soi à la hauteur des épaules, fléchissez les genoux et accroupissez-vous sur les talons. La barre peut également être placée sur le trapèze, derrière la tête.

Exercice no 8.

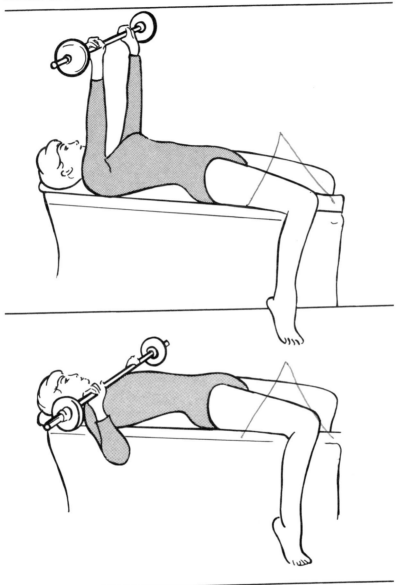

Couché sur un banc assez étroit, la barre tenue devant
la poitrine, levez celle-ci verticalement au bout des bras,
et laissez-la descendre lentement sur la poitrine.

Exercice no 9.

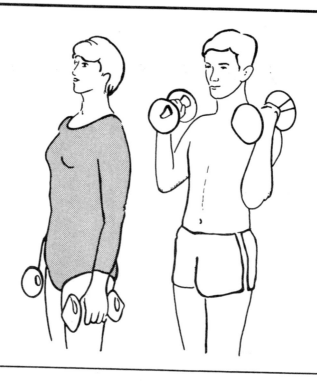

Saisissez une charge dans chaque main, les paumes des mains étant face à face, et fléchissez les avants-bras sur les bras.

Exercice no 10.

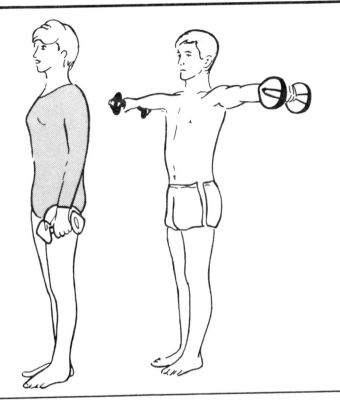

Debout, une charge dans chaque main, les bras le long du corps, élevez latéralement les bras tendus jusqu'à la hauteur des épaules puis revenez à la position de départ.

Tous ces exercices se pratiquent avec des charges suffisamment lourdes pour ne pas permettre plus d'une quinzaine de mouvements. On peut toutefois répéter le même exercice deux ou trois fois de suite, en prenant une minute de repos entre chaque série.

Il existe évidemment d'autres formes d'exercices qui sollicitent le système musculaire. On peut fréquenter les studios de culture physique et utiliser les nombreux appareils qui s'y trouvent. On peut également se servir de nombreux appareils domestiques munis de ressorts ou autres engins, grâce auxquels on peut forcer considérablement. En fait, toutes les formes d'exercices qui engagent la musculature à fond, sont utiles pour tonifier le système musculaire.

LES SUPPLÉMENTS ALIMENTAIRES

Qu'est-ce qu'un supplément alimentaire?

Un supplément alimentaire, c'est un aliment concentré, un super aliment.

Pourquoi consommer des suppléments alimentaires?

1 — Parce que nos aliments sont déficients:

a) on ajoute des engrais chimiques, des herbicides, et des insecticides aux fruits et aux légumes;

b) on injecte des hormones au boeuf et au porc;

c) les poulets sont nourris avec des moulées bourrées d'antibiotiques;

d) les fruits sont mûris dans des chambres à gaz;

e) les farines et le sucre sont blanchis et trop chimifiés;

f) beaucoup trop de produits contiennent des préservatifs et des colorants artificiels.

2 — Notre alimentation est souvent déficiente:

a) les gens difficiles ne mangent pas certains légumes ou certains fruits;

b) les personnes trop souvent à la diète (avec des régimes pas toujours équilibrés);

c) les gens toujours à la course qui se contentent de conserves ou de «TV dinners», ou encore mangent souvent dans des restaurants «fast food»;

d) en cuisant trop les aliments, nous détruisons plusieurs vitamines et enzymes.

Pourquoi avons-nous besoin de suppléments alimentaires toute l'année et surtout l'été?

1 — Parce que même l'été, nos aliments sont toujours aussi carencés, bourrés d'engrais chimiques, d'insecticides, de préservatifs, de colorants, etc...;

2 — Parce que souvent l'été, nous surveillons moins notre alimentation car nous sommes en vacances;

3 — Parce que l'été le soleil nous permet d'assimiler mieux les substances nutritives des suppléments alimentaires;

4 — Parce que l'été doit servir à préparer et à renforcer notre corps pour les mois d'hiver à venir.

Est-ce que je dois demander la permission à mon médecin pour prendre des suppléments alimentaires?

Les suppléments alimentaires étant des aliments, il n'y a aucune contre-indication à en consommer. On n'y retrouve pas les effets secondaires des médicaments de synthèse. Ils ne font qu'enrichir notre alimentation de base pour de meilleurs résultats. Comme on n'arrête pas de manger parce que l'on prend des médicaments, nous pouvons continuer à consommer nos suppléments alimentaires en tout temps et aussi longtemps que l'on veut maintenir une excellente santé.

Une étude américaine rapportée dans «La Vitamine C contre le cancer»[1] confirme cette thèse: «Le docteur James E. Enstrom,... a mené une étude épidémiologique prospective auprès de 215 hommes et de 150 femmes,

(1) Dr Ewan Cameron & Linus Pauling, *La Vitamine C contre le cancer*, L'Étincelle 1982, 333 pages.

résidant tous et toutes en Californie,... et qui étaient âgés d'au moins 65 ans à ce moment. Selon les informations recueillies par questionnaire en 1974 et en 1977, leur régime alimentaire ressemblait à celui de l'Américain moyen, mais incluait en plus des suppléments alimentaires, dont une consommation quotidienne d'environ 1,700 mg de vitamine C, 700 U.I. de vitamine E et 18,000 U.I. de vitamine A, ainsi que d'autres vitamines et minéraux.

Après avoir enregistré pendant quatre ans leurs taux de mortalité, celui-ci, une fois normalisé et comparé au taux de mortalité de l'ensemble... est le plus bas observé parmi les groupes auto-sélectionnés d'une population âgée. *D'après nous, cela indique que les suppléments alimentaires ont une influence significative sur la santé.*»

Est-ce que les enfants peuvent prendre des suppléments alimentaires?

Oui, car la santé c'est le bien le plus précieux que nous pouvons leur donner.

À quels résultats doit-on s'attendre?

Les résultats obtenus par l'application des méthodes naturelles de santé dépendent de plusieurs facteurs. En tout premier lieu, il y a évidemment la condition de l'individu. Plus cette condition est sérieuse, plus il faudra de temps pour la corriger. Ce fait va de soi.

En second lieu, on doit tenir compte du degré d'application individuelle. Bien des gens suivent les recommandations naturistes, mais uniquement d'une façon partielle. Dans ce cas, il faut bien sûr s'attendre également à obtenir des résultats mitigés. En fait, plus le programme est bien suivi, meilleurs sont les résultats.

Ceci ne signifie pas cependant que le fait de suivre un programme partiellement n'a aucune valeur. Mieux vaut évidemment appliquer un programme de santé à 50% que de ne pas l'appliquer du tout. On peut effectivement tirer profit d'une telle application partielle, mais il est évident que les résultats sont limités. Il est indéniable qu'une application complète d'un programme de santé donne toujours les meilleurs résultats.

En troisième lieu, même dans le cas d'une application complète, il faut savoir que les résultats sont très rarement immédiats. Il faut généralement un certain temps avant qu'ils se manifestent, d'où la nécessité de faire preuve de patience. En fait, on doit compter entre trois et six mois pour obtenir des résultats valables. Il faut toujours se rappeler que les méthodes naturelles de santé ont pour but essentiellement de plonger l'organisme dans des conditions favorables à l'éclosion de la santé. Ces méthodes ne visent pas la suppression des symptômes des maladies. Elles redonnent plutôt à l'organisme la résistance nécessaire pour surmonter les maladies proprement dites. L'acquisition d'une telle résistance nécessite évidemment du temps.

Il ne faut donc pas hésiter à prendre régulièrement ses suppléments et autres produits naturels de santé. La régularité et la persistance sont deux vertus importantes pour l'obtention des meilleurs résultats. Il ne faut jamais négliger non plus de toujours appliquer les correctifs suggérés. Ces correctifs font partie intégrante de tout bon programme de santé.

Où se procurer ses suppléments alimentaires?

Pour de meilleurs résultats, il faut se procurer ses suppléments alimentaires dans les magasins d'aliments naturels. Ils offrent la meilleure qualité au meilleur prix. Les pharmacies sont d'abord des vendeurs de médicaments (drogues). Les suppléments et aliments vendus chez eux sont parfois faussement naturistes et de qualité inférieure. Le personnel des pharmacies n'est pas formé à l'alimentation naturelle et aux suppléments alimentaires. Chacun son métier.

Un bon magasin d'alimentation naturelle est LE SEUL endroit vraiment fiable et spécialisé.

LA CURE D'AMAIGRISSEMENT

Pourquoi maigrir

On peut dire sans crainte d'erreur que la majorité des personnes qui veulent maigrir le font pour des raisons d'esthétique, surtout les femmes. Mais il y a plus que l'apparence à considérer en matière d'embonpoint. La santé est en cause. Le surplus de poids impose un surcroît de travail au coeur, tend à encrasser les vaisseaux sanguins, à ralentir la circulation du sang, et à entraver le mécanisme des muscles, etc... Sans compter qu'à son poids normal, on se sent tellement mieux dans sa peau.

Quelle que soit la raison pour laquelle on veut perdre du poids, il est impérieux de le faire selon les règles de la bonne santé. Car maigrir ne doit pas hypothéquer la santé de celui ou de celle qui se soumet à un régime; au contraire, on doit maigrir pour améliorer sa santé. C'est donc dire qu'il y a une bonne et une mauvaise façon de maigrir.

Comment ne pas maigrir

Dans la majorité des cas, le candidat à l'amaigrissement veut maigrir trop vite. Sa décision prise, il s'impose une diète sévère, encouragé par une perte de poids marquée dès les premiers jours. Malheureusement, dans la plupart des cas, un régime draconien entraîne des carences alimentaires. Car il ne faut pas l'oublier, la santé ne peut résulter que d'une alimentation équilibrée; vouloir maigrir n'autorise personne à mal manger, même si se nourrir mal produit des effets amaigrissants.

Certaines personnes, ordinairement sédentaires, croient pouvoir maigrir sensiblement en faisant plus d'exercice physique sans réduire leur apport alimentaire.

L'exercice physique est absolument nécessaire à la bonne santé de tout le monde, mais il est fort douteux qu'un obèse puisse atteindre son poids idéal uniquement par l'exercice, si violent soit-il. Comme l'exercice physique permet de raffermir les muscles et, par la sudation, favorise l'élimination des déchets, l'exercice constitue un complément essentiel au régime alimentaire amaigrissant. Mais ce sera toujours à la diète qu'il faudra demander la perte de poids.

Comment maigrir intelligemment

La meilleure diète amaigrissante est basée sur l'alimentation idéale. Ainsi, on maigrit lentement et sans réengraisser par la suite. Facteur de première importance, toute personne moindrement grassouillette, sait d'expérience que maigrir est relativement facile; ce qui l'est moins, c'est de ne pas reprendre rapidement les livres perdues.

Dans les meilleures conditions, le patient en diète ne doit perdre que deux livres par semaine. Les grands obèses peuvent se permettre trois livres par sept jours. Mais pas davantage. Certains trouveront que le résultat est trop lent à se manifester. Qu'à cela ne tienne: ils seront récompensés de leur patience, car, répétons-le: *plus on maigrit lentement, plus il est facile de rester mince.*

Maigrir n'exige donc pas seulement de manger moins; maigrir oblige à manger mieux. Et manger mieux, pour un obèse, c'est corriger ses habitudes alimentaires. Car il n'y a pas de différence notable entre le régime alimentaire habituel d'un naturiste en pleine forme et le régime alimentaire de celui ou celle qui veut perdre ses coussins de graisse.

Que veut dire «corriger ses habitudes alimentaires?»

C'est le fondement même du naturisme de reconnaître que la santé — et la bonne forme physique qui s'ensuit — commence dans l'assiette de toute personne. En d'autres mots, cela signifie que bien manger, pour qui veut maigrir, ne consiste pas seulement à manger moins, mais c'est aussi, satisfaire aux exigences de la nature. Ces exigences ne portent pas uniquement sur le nombre de calories à prendre, mais également, et peut-être davantage sur les ingrédients qui composent tout repas. C'est-à-dire que les repas de chaque jour doivent comporter toutes les vitamines, les minéraux, les acides aminés tirés des protéines, tous les hydrates de carbone, les gras, et toutes les calories essentielles au bon fonctionnement de l'organisme. Et ces exigences, répétons-le, valent tout autant pour les obèses en quête de sveltesse que pour Monsieur et Madame Tout-le-Monde qui se soucient de leur santé.

De plus, manger pour maigrir ou simplement pour se bien porter, veut dire éliminer ces prétendues «nourritures» comme les bonbons, les tablettes de chocolat, les boissons gazeuses, le sucre blanc ou autre, les aliments chimifiés, raffinés ou enrichis, etc.

Corriger ses habitudes alimentaires, c'est aussi dire adieu aux grandes bouffes, aux festins trop souvent répétés, et aux collations de tous les jours; c'est bannir les fritures et respecter les bonnes combinaisons alimentaires.

Certes, il faut s'attendre à un minimum d'efforts pour réaliser ses objectifs d'amaigrissement et de bonne santé, mais ainsi va la vie; le contrôle de l'appétit s'exerce d'abord par la volonté.

Bilan énergétique

Atteindre son poids idéal et le garder exige l'équilibre des calories. Maigrir, c'est prendre moins de calories qu'on en brûle; rester mince, c'est égaler les calories qu'on mange à ceux qu'on dépense.

Comme une tablette de chocolat équivaut à 300 calories, il faudrait pour les perdre, frotter un plancher pendant une heure; n'est-il pas préférable de se passer de chocolat?.

Quelques conseils pratiques

Ne cherchez pas à perdre du poids à un endroit précis de votre corps en mangeant moins; ce n'est pas là affaire de diète mais plutôt une question d'exercice physique.

— Comblez vos carences vitaminiques en prenant des suppléments alimentaires naturels. Ne craignez pas que les vitamines vous fassent engraisser; au contraire, comme elles activent le métabolisme, elles contribuent à la bonne forme physique de la personne qui suit une diète d'amaigrissement.

— Évitez de manger plus de sel que nécessaire, car il contribue à retenir l'eau dans les tissus.

— Mastiquez lentement en broyant les aliments de 20 à 30 fois par bouchée. Votre nourriture étant plus profitable, vous aurez tendance à manger moins.

— Pour soulager l'envie de grignoter, mâchez du céleri, des carottes ou des radis.

— Remplacez, de temps à autre, vos repas réguliers par un substitut. Il s'agit d'une poudre de protéines végétales que l'on mélange dans un grand verre de lait et que l'on boit lentement, à la place d'un repas. Le substitut a l'avantage de contenir peu de calories tout en apportant à l'organisme les substances nutritives nécessaires à l'organisme soumis à une diète amaigrissante. Les meilleurs substituts se retrouvent dans les magasins d'aliments naturels car on n'y ajoute aucun produit chimique ou colorant artificiel.

— Utilisez des suppléments alimentaires naturels tels la spiruline. Leur action permet de tromper la faim.

LA CHALEUR

La chaleur est une autre condition essentielle à la vie. Notre organisme ne peut fonctionner correctement qu'à l'intérieur d'une marge étroite de chaleur. De plus, toujours grâce à la chaleur, l'élimination des déchets de l'organisme peut être grandement accentuée.

On sait en effet que l'élévation de la température du corps qui résulte de l'exercice physique, entraîne une forte élimination des déchets de l'organisme. En élevant artificiellement la température du corps, on peut aussi favoriser l'élimination, mais avec des résultats moins appréciables qu'avec l'exercice physique. On y parvient surtout de deux façons, par le sauna et le bain chaud.

Le sauna

Le sauna, chacun le sait, provoque une forte sudation. Dans la sueur qui se dégage ainsi du corps, on trouve une bonne quantité de déchets. Pratiqué sur une base régulière, le sauna, à raison de deux séances par semaine par exemple, apporte une importante désintoxication de tout l'organisme.

La séance de sauna se pratique comme suit : nu de préférence, pour favoriser une sudation plus complète, il faut passer sous la douche chaude et se savonner à fond afin de déloger les impuretés des pores de la peau. L'eau chaude sert également à relâcher les muscles de la peau. Après la douche, on entre immédiatement dans le sauna, en prenant soin préalablement de le chauffer. La température idéale se situe autour de 180 degrés. Les gens qui ne sont pas habitués pourront régler la température à 150 degrés.

En entrant dans le sauna, il est un peu normal d'êre saisi par la chaleur ambiante. On pourra même ressentir certaines difficultés respiratoires, accompagnées d'un sentiment d'oppression. Ces petits malaises passent rapidement.

En peu de temps, la transpiration se manifeste, peu importante au début, abondante par la suite. Normalement, la première séance durera une dizaine (10) de minutes.

Vient ensuite la douche froide ou tiède. De courte durée, elle a pour but de rafraîchir la peau. On peut alors se reposer quelques instants, puis procéder à une deuxième séance qui aura sensiblement la même durée que la précédente. Cependant, on constatera que la sudation est plus rapide et pour l'accentuer on verse un peu d'eau sur les pierres du poêle.

On reprend ensuite une autre douche fraîche, puis on passe à la période de relaxation. Indispensable, elle permet à l'organisme de récupérer. On s'enveloppe alors dans un bon peignoir ou dans une grande serviette, puis l'on s'étend durant une vingtaine (20) de minutes. Dans bien des cas, le sujet peut s'endormir, ce qui est normal.

Après ou durant cette séance, on boira lentement un bon jus de fruit pour réhydrater l'organisme et, du même coup, remplacer les minéraux perdus au cours de la sudation.

Le bain chaud

Le bain chaud vise sensiblement les mêmes buts que le sauna. Cependant, son action est moins marquée. C'est pour cette raison qu'on peut s'y adonner plus souvent. On peut en fait prendre un bon bain chaud à tous les soirs.

On entrera dans l'eau du bain alors que celle-ci se trouve à 96 ou 98 degrés F°. Lentement, on élèvera la température de l'eau à 100, 102 degrés ou plus. L'eau doit cependant demeurer confortable, quoique chaude. Chacun doit trouver la température de l'eau qui lui convient.

On restera entre dix (10) et quinze (15) minutes dans cette eau. Ensuite, on s'enveloppe dans un peignoir ou dans une grande serviette, de façon à favoriser une bonne transpiration. Comme dans le cas du sauna, il est préférable de se coucher durant cette séance de relaxation. La période de repos terminée, on prendra une douche tiède.

Le bain chaud active les glandes sudoripares, les glandes sébacées de la peau et également la circulation au niveau des capillaires. On obtient ainsi une désintoxication en profondeur. De plus, le bain chaud constitue une excellente forme de relaxation qui contribue grandement à favoriser un sommeil plus complet et plus réparateur. On conseille aussi le bain chaud aux personnes qui dorment mal ou souffrent d'insomnie.

L'ensoleillement

Notre peau a besoin de lumière, plus particulièrement des rayons ultraviolets du soleil. Grâce à ces rayons, elle peut produire une substance très importante pour la santé, la vitamine D.

Cette vitamine exerce de nombreuses fonctions dans l'organisme. Elle permet notamment de fixer le précieux calcium dans nos tissus. Dans tous les troubles reliés à la décalcification, un apport plus grand de vitamine D s'avère fort utile.

Durant la belle saison, il est relativement facile de jouir des bienfaits du soleil. Il s'agit de s'y exposer chaque fois que l'occasion se présente. Point n'est besoin de s'adonner à de longues séances d'exposition. Une demi-heure par jour suffit pour autant que ces séances soient régulières.

Malheureusement, notre climat ne permet pas une telle régularité tout au long de l'année. C'est là qu'il devient important de recourir aux lampes solaires, plus particulièrement aux rayons UVA. Dans un ouvrage intitulé «Les rayons ultraviolets et votre santé», j'ai exposé les mérites des lampes solaires, surtout celles qu'on trouve dans les studios de bronzage. Les lecteurs qui veulent en savoir plus long sur cette question sont donc priés de se référer à cet ouvrage. Entre-temps, il est important de savoir que le soleil ou la lumière ultraviolette sont essentiels à la santé. Michelet, il y a de cela bien des années, disait que «de toutes les fleurs de la création, la fleur humaine est celle qui a le plus besoin de soleil». Jamais citation n'a été si vraie, poétiquement et aussi physiologiquement.

QUELQUES POINTS DE REPÈRE

Votre pression artérielle

de 20 à 30 ans :	120 à 125
de 30 à 40 ans :	120 à 130
de 40 à 50 ans :	125 à 135
de 50 à 60 ans :	130 à 140
de 60 à 70 ans :	135 à 145
de 70 à 80 ans :	140 à 150
de 80 à 90 ans :	145 à 155
de 90 ans et plus :	150 à 160

Votre pouls au repos

à la naissance :	120 à 150 pulsations à la minute
à un an :	120 à 130 pulsations à la minute
à deux ans :	90 à 115 pulsations à la minute
à trois ans :	80 à 110 pulsations à la minute
à sept ans :	72 à 90 pulsations à la minute
à 14 ans :	65 à 75 pulsations à la minute
à 21 ans et plus :	50 à 70 pulsations à la minute

Votre taux de cholestérol

de 160 à 185

Votre poids en livres

Taille	Petite ossature		M. ossature		Forte ossature	
	Homme	Femme	Homme	Femme	Homme	Femme
5′	110	102	117	109	124	116
5′1″	112	104	119	111	126	119
5′2″	115	107	121	114	131	121
5′3″	118	110	124	117	134	124
5′4″	121	113	128	121	138	127
5′5″	124	116	131	124	142	131
5′6″	128	120	134	127	145	133
5′7″	131	123	138	131	149	138
5′8″	134	126	141	134	153	142
5′9″	138	130	145	137	156	145
5′10″	142	133	148	141	160	149
5′11″	146	136	152	145	164	152
6′	150		157		166	
6′1″	155		163		171	

Note : **Chez les hommes, un tour de poignet inférieur à 6″ indique une petite ossature; jusqu'à 7 pouces, une ossature moyenne; plus de 7 pouces, une forte ossature. Chez les femmes : 5″ indiquent une petite ossature; jusqu'à 6″, une ossature moyenne; au-dessus de 6″, une forte ossature.**

L'ÉQUILIBRE ÉMOTIONNEL

La qualité de nos pensées et de nos émotions exerce une influence déterminante sur notre santé. Bien des gens ignorent cette réalité et connaissent par conséquent de nombreux déboires dans leur vie. D'autre part, ceux qui en sont conscients font tous les efforts nécessaires pour n'entretenir que des pensées et des attitudes d'esprit positives. Ils s'efforcent continuellement d'améliorer leur caractère.

Sous l'influence d'émotions négatives, toute une série de perturbations s'opèrent dans notre organisme. On assiste à une profonde modification de l'activité hormonale. Certaines hormones sont produites en plus grande quantité. Elles engendrent alors des réactions plus ou moins souhaitables dans l'organisme. C'est le cas notamment de l'augmentation de la pression artérielle, de même que de la réduction de l'activité émonctorielle. Il s'ensuit une perte inutile d'énergie, un effort superflu imposé au système cardio-vasculaire et une accumulation de déchets dans l'organisme. La maladie peut facilement en résulter.

Il est donc très important de cultiver l'optimisme, la confiance, la joie et la pensée positive. Chaque sentiment, chaque impression et chaque émotion qui nous envahit doit provoquer en nous une attitude de sérénité. Toutes nos pensées devraient contribuer à harmoniser notre être et à nous procurer plus de bonheur. En recherchant continuellement l'harmonie, nous pouvons parvenir à une meilleure santé. Tous les facteurs naturels de santé sont importants. Aucun ne peut être négligé, surtout pas le facteur émotionnel.

N'oublions pas non plus la dimension de la spiritualité. La croyance en un Être Suprême facilite une attitude mentale positive. Dieu, tel que chacun le conçoit, est une force capitale pour l'obtention et le maintien d'une santé totale!

DU MÊME AUTEUR:

- Les plantes qui guérissent
- Le coeur et l'alimentation
- La réforme naturiste (épuisé)
- Le guide de l'alimentation naturelle
- La chaleur peut vous guérir
- Dossier fluor
- Guérir votre foie
- La santé par les jus
- Le guide de la femme naturiste (épuisé)
- La nutrition de l'athlète et du sportif
- La vitamine «E» et votre santé (épuisé)
- L'alcool et la nutrition (épuisé)
- Le bruit et la santé (épuisé)
- Information santé (épuisé)
- Les dangers de l'énergie nucléaire (épuisé)
- Les vitamines naturelles
- Alimentation du sportif (épuisé)
- Les ultra-violets et votre santé

En collaboration:

- Jean-Marc Brunet, la force et la santé
  Jean Côté

- Recettes naturistes pour tous
  Lise Dauphin, n.d.

- L'exercice physique pour tous
  Guy Bohémier, n.d.

Table des matières

Premier chapitre
Suggestions et supplémentation naturiste suggérées
en fonction des symptômes suivants

Deuxième chapitre:
Les facteurs naturels de santé

Achevé d'imprimer à Beauceville
sur les presses de l'Éclaireur,
une division de Groupe Quebecor Inc.
en décembre 1987